Carolin Emcke erzählt die Geschichte einer Jugend, ihrer Jugend, in den siebziger und achtziger Jahren. Über Sexualität wurde nicht gesprochen, es gab keinen Raum für Begriffe wie »Lust« oder »Begehren«, ganz zu schweigen von Arten der Lust, die sich von der Norm unterscheiden.

Sie beschreibt die Spiele und Rituale, die Mechanismen der Ausgrenzung und Eingrenzung, die Lügen und Sehnsüchte, aus denen diese Jugend sich formte. Sie erzählt von der Not und Verzweiflung eines Mitschülers, der an den Rand gedrängt wird, ohne Grund, und der am Ende zerbricht, sie erzählt von ihrer eigenen Suche nach einer Form, in der das Anderssein sich artikulieren darf, und von dem existentiellen Glück, diese Sprache des Begehrens schließlich gefunden zu haben.

Carolin Emcke gelingt das Kunststück, anhand der Geschichten, die sie erzählt, eine ganze Theorie des Begehrens zu entwickeln, ohne den Zauber, das Zarte und zugleich Radikale, das ihm eigen ist, zu nehmen. Zugleich ist ihr Buch ein Text von großer politischer Kraft, in dem es um Ausgrenzung und Gewalt wie um das Ringen um Individualität im Zeitalter des Kollektiven geht.

Carolin Emcke, geboren 1967, studierte Philosophie in London, Frankfurt/Main und Harvard. Sie promovierte über den Begriff »kollektiver Identitäten«. Von 1998 bis 2013 bereiste Carolin Emcke weltweit Krisenregionen und berichtete darüber. 2003/2004 war sie als Visiting Lecturer für Politische Theorie an der Yale University. Sie ist freie Publizistin und engagiert sich immer wieder mit künstlerischen Projekten und Interventionen, u. a. die Thementage »Krieg erzählen« am Haus der Kulturen der Welt. Seit über zehn Jahren organisiert und moderiert Carolin Emcke die monatliche Diskussionsreihe »Streitraum« an der Schaubühne Berlin.

Für ihr Schaffen wurde sie mehrfach ausgezeichnet, u. a. mit dem Theodor-Wolff-Preis, dem Otto-Brenner-Preis für kritischen Journalismus, dem Lessing-Preis des Freistaates Sachsen und dem Merck-Preis der Deutschen Akademie für Sprache und Dichtung. 2016 erhält sie den Friedenspreis des Deutschen Buchhandels. Bei S. Fischer erschienen ›Von den Kriegen. Briefe an Freunde‹, ›Stumme Gewalt. Nachdenken über die RAF‹, ›Wie wir begehren‹ und ›Weil es sagbar ist: Über Zeugenschaft und Gerechtigkeit‹. Im Oktober 2016 erscheint ihr neues Buch ›Gegen den Hass‹.

Weitere Informationen finden Sie auf www.fischerverlage.de

Carolin Emcke

WIE WIR BEGEHREN

FISCHER Taschenbuch

3. Auflage: Juni 2016

Erschienen bei FISCHER Taschenbuch
Frankfurt am Main, Juni 2013

© S. Fischer Verlag GmbH, Frankfurt am Main 2013
Druck und Bindung: CPI books GmbH, Leck
Printed in Germany
ISBN 978-3-596-18719-5

WIE WIR BEGEHREN

»Il y a autant de différence de nous à nous-même
que de nous à autrui.«
Montaigne

»Die Saite des Schweigens
gespannt auf die Welle von Blut …«
Ingeborg Bachmann

»So quälte ich mich mit der Welt,
dass ich begann, mir Sprichwörter auszudenken.
Lange Wahrheiten gibt's und kurze.
Und folgt die Strafe nicht auf dem Fuß,
musst Du die Schuld ableben durchs Leben.«
Jan Skácel

Vielleicht ist das der Grund für diese Geschichte. Vielleicht muss sie so beginnen: mit der Schuld, einer Schuld, die sich nicht abtragen, sondern nur ableben lässt durchs Leben. Vielleicht ist es eine Illusion, dass sich Schuld abbauen ließe, als sei sie aus Erz oder Kohle, als ließen sich Brocken herausschlagen, kleine Klumpen, die fortgetragen, zerkrümelt, aufgelöst werden könnten. Vielleicht gehört das Erzählen so zum Leben wie das Schweigen zum Tod. Und vielleicht lässt sich nur so, erzählend, die lange Wahrheit dieser Geschichte begreifen.

*

Warum gerade wir ausgewählt wurden, weiß ich nicht. Die anderen Schüler, vor allem die Jungen, standen um uns herum und stichelten. Vielleicht waren es außer mir auch nur Jungen. Das wäre mir nicht aufgefallen. Es war eine Zeit, in der die Unterschiede noch nicht besonders relevant waren. Oder zumindest für mich nicht. Sie lauerten wie ein Rudel Wölfe, im unförmigen Kreis, ohne klare Ordnung. Linkisch und bissig wagte sich mal einer, mal ein anderer vor und schubste uns, Daniel oder mich, mit einem Schlag gegen die Schulter: »Na los!«

Wir standen am Rand des lehmigen Fussballfeldes, das eigentlich kein richtiges Fussballfeld war, sondern nur eine größere Lichtung im waldigen Hügel, gleich neben dem Schulgebäude. Heutzutage gibt es das vermutlich gar nicht mehr, einen nichtasphaltierten Hof. Damals war der Platz etwas verwildert, neben dem eigentlichen Hof mit den Bänken und Geländern und dem ewig zugigen, grauen Toiletten-häuschen. Es gab zwei Tore ohne Netze und ein Feld ohne Linien.

»Na los!«, sie waren erschrocken über den eigenen Mut, ängstlich vor der eigenen Feigheit, immer darauf bedacht, was die anderen von ihnen denken könnten. »Na los, prügelt euch.« Sie schnappten und wichen wieder zurück, jeder beobachtete jeden, die schmächtigen Körper etwas gebeugt, den Kopf tief, etwas zu aggressiv, etwas zu devot, immer auf der Hut, ob sich die Gewalt, die sie gerade auf uns lenken wollten, im nächsten Moment gegen sie selbst kehren könnte, eine Meute aus Kindern.

Es war der erste Schultag am Gymnasium. Der Tag hatte in der Turnhalle begonnen. Warum die Begrüßungszeremonie der Neuankömmlinge und die Vorstellung der Klassenlehrer für die drei fünften Klassen nicht in der Aula stattfanden, weiß ich nicht. Wir saßen auf hölzernen Bänken neben unseren Müttern oder Vätern und warteten darauf, welcher Klasse wir zugeordnet würden. Was wir von den Lehrern zu erwarten hatten, ob sie beliebt oder unbeliebt waren, konnten wir heraushören am klatschenden Kommentar der älteren Schüler, die der Veranstaltung aus Langeweile oder Gehässigkeit beiwohnten. Wenn ich es heute recht bedenke, muss es sich für die drei Lehrer, die da am Ende der Halle unter dem Basketball-Korb standen, entsetzlich angefühlt haben. Wie ihre Namen aufgerufen wurden, sie mit lauten Pfiffen oder allzu leisem Applaus bedacht wurden und sie so, schon im Moment der Ernennung zum Klassenlehrer, vor ihren neuen Schülern jede Autorität verloren. Vermutlich waren sie deswegen da, die älteren Schüler, weil dies der einzige Moment im Jahr war, an dem sie sich rächen konnten. Ich weiß noch, dass sie mir ein wenig leidtaten, die Lehrer, die sich da ausliefern mussten. Und ich weiß noch, dass mir diese Atmosphäre des kollektiven Urteils, das ich als solches damals gar nicht hätte benennen können, unheimlich war.

Wir verfolgten nur die alphabetischen Namenslisten, warteten unseren Buchstaben ab, hörten unseren Namen und bangten dann, ob auch all die vertrauten Freunde aus der Grundschule genannt würden. Ich hatte Glück. Meine liebsten Spielgefährten aus den vorangegangenen Jahren wurden alle derselben Klasse zugeteilt. Wer die anderen Unbekannten waren, die folgten, war gleichgültig. Entscheidend war nur, nicht allein in diese neue Welt gestoßen zu werden. Dann löste die Versammlung sich auf, die Eltern verabschiedeten sich, und wir gingen in der gerade neusortierten Gruppe hinter der neuen Klassenlehrerin die Treppen zum Gebäude der fünften und sechsten Klassen hinunter. Wir waren etwas abseits, am Fuß des Hügels, in einer eigenen versunkenen Welt, nicht mehr ganz Grundschule, aber auch noch nicht Gymnasium.

Und da standen wir nun. An der Ecke von diesem Fußballfeld. Gleich neben dem mit Brennnesseln bewachsenen Abhang. In einer der ersten Pausen. Sie muss eine kurze Pause gewesen sein. Die lange Pause wurde immer als wirkliche Pause, also zum Fußballspielen genutzt. Die kurzen taugten für nichts Halbes und nichts Ganzes. Da unten, bei den Unterstufengebäuden, gab es keinen Bäcker, keine Eisdiele, nichts, wohin man eben mal hätte verschwinden können. Für eine Raucherecke, wie es sie später geben sollte, waren wir zu jung oder zu wenig verwegen. Vielleicht hatten wir auch einfach zu wenig Phantasie, wie sich die Lust an der Grenzüberschreitung ausdrücken sollte.

Wir wollten nicht, weder Daniel noch ich. Etwas verstohlen schauten wir uns an. Wir kannten uns ja gar nicht. Von welcher Grundschule Daniel auf dieses Gymnasium gewechselt war, wusste ich nicht. Aber ich wusste, dass ich ihn noch nie zuvor gesehen hatte. Er hatte blonde Haare und weit auseinanderstehende grüne Augen. Er war ein bisschen größer als ich, aber nicht viel. Seine Schultern waren eckig. Die Arme etwas zu lang. Aber auch das ist mir damals bestimmt nicht aufgefallen. Schließlich war bei jedem von uns irgendetwas zu lang oder zu kurz, war jeder von uns irgendwie leicht daneben, und sei es nur, weil wir dachten, die anderen könnten das von uns denken. Daniel hatte eine angenehme

Erscheinung. Es gab keinen Grund, warum er ausgewählt wurde in diesem Moment am ersten Schultag. Es war wahllos. Es traf einfach uns.

Ich wusste nicht richtig, was das sollte, warum wir uns denn schlagen sollten. Daniel hatte mir nichts getan. Es gab kein Motiv. Ich hatte mich schon oft gerauft. Schon an meinem ersten Tag im Kindergarten. An meinem ersten Tag in der Grundschule auch. Grundsätzlich sprach also nichts gegen eine Prügelei am ersten Tag auf dem Gymnasium. Ich habe einen älteren Bruder. Raufen gehörte zum gewöhnlichen Repertoire des Überlebens. Aber ich musste wütend sein über etwas, das der andere getan hatte, was ich gemein fand. Einfach so, ohne angegriffen worden zu sein, auf jemanden loszugehen, das konnte ich nicht. Vielleicht verstand ich auch einfach das Spiel nicht: diesen Versuch einer amorphen Gruppe, in sich eine Hierarchie zu schaffen, diesen Versuch jedes einzelnen Schülers, nur ja nicht selbst im Kreis zu landen, nur nicht selbst getestet zu werden, nur nicht selbst, schon am ersten Tag, ausgegrenzt zu werden. Nur deswegen formten sie diesen Kreis, nur deswegen trauten sie sich so viel zu, weil sie sich nichts zutrauten, nur deswegen brauchten sie diese Situationen, in denen andere als Schwächlinge markiert werden konnten.

Als Schwäche konnte allerdings beides gelten: sich zu prügeln wie sich nicht zu prügeln. Wer sich von den anderen aufstacheln ließ, traute sich vielleicht nicht zu, sich gegen die Gruppe zu wehren. Wer sich nicht aufstacheln ließ, traute sich vielleicht nicht zu, gegen einen anderen zu gewinnen. Eine psychische Niederlage das eine, eine physische das andere. Ich gebe zu, dass mich die Aussicht zu verlieren als erfahrene kleine Schwester keineswegs beunruhigte. Das war ich gewohnt. Jede Kraftprobe, jeden athletischen Wettkampf, jede Prügelei verlor ich. Meine ganze Kindheit hindurch. Ich kann mich nicht erinnern, dass ich die einzelnen Wettkämpfe als besondere Niederlagen empfand, auch wenn sie nur aus einer Aneinanderreihung von Niederlagen bestanden. Ob es mich aus athletischem Ehrgeiz reizte, es zu versuchen, ob es aus Stolz darum ging, gegenzuhalten, das kann ich gar nicht sagen. Vermutlich war ich bloß stur.

Wenn ich überlege, warum ich in dieser Situation, damals, am ersten Schultag, keine Angst vor dem Verlieren hatte, kann ich nur ahnen, dass es etwas damit zu tun haben muss, dass ich ja ohnehin immer verlor. Ich glaube, darüber dachte ich nicht einmal nach. Vielleicht war das, die Angstfreiheit, der beste Schutz.

Die Szene verging, wie sie entstanden war, plötzlich und wortlos. Weil das Pausenzeichen ertönt oder irgendein Lehrer in der Nähe aufgetaucht war. Alle stoben auseinander. Die Anspannung war verflogen, wie sie entstanden war. Die meisten erinnerten schon am nächsten Tag nicht mehr, dass sie uns hatten aufstacheln wollen. Das war meine erste Begegnung mit ihm.

*

Warum er sich das Leben genommen hat, weiß ich nicht. Ich habe niemanden dazu befragt. Niemanden außer mir selbst. Gewundert habe ich mich nicht. Dabei ist das sonst so üblich. Jemand stirbt durch eigene Hand, und wir tun überrascht. Natürlich war ich erschrocken, als ich Jahre später, Jahre nach diesem ersten Schultag am Gymnasium und einige Zeit, nachdem Daniel unsere Schule verlassen hatte, hörte: »Daniel ist tot.« Da war er noch nicht einmal achtzehn. »Daniel ist tot.« Das klang schäbig. In dem Moment, in dem ich den Satz hörte, ekelte er mich auch schon an. Es war niemals nur ein erschrockener Ton, der angeschlagen wurde mit diesem Satz, immer lag unter der Betroffenheit noch etwas anderes. Erst dachte ich, das Intervall, das ich hörte, wenn über diesen Selbstmord gesprochen wurde, sei die gemeine Lust am Skandal, die mit angestimmt wurde, die voyeuristische Freude an dem Eklat, der dazu dient, im Niedergang des anderen vor allem das eigene Überleben zu feiern. Aber es war noch etwas anderes. »Daniel ist tot«, das war auch eine Art Bestätigung. Je entsetzter die Stimmen taten, die den Freitod kommentierten, desto zufriedener schienen sie zu sein. Als sei der Tod von Daniel ein später Triumph, als sei die Hetzjagd zu einem erfolgreichen Ende gekommen, der Schwächling doch noch ausgemacht.

Natürlich habe auch ich mich gefragt: Warum hat er sich das Leben genommen? Ich wollte wissen, gab es einen Brief, eine Ankündigung, eine Erklärung, etwas, das er hinterlassen hat. Aber ich habe mich das nicht gefragt, weil mir *keine* Gründe eingefallen wären. Ich habe mich das gefragt, *weil* mir Gründe einfielen. Weil ich wissen wollte, ob die Gründe, die mir einfielen, auch seine waren. Weil ich wissen wollte, wie viel sein Tod mit uns zu tun hatte, mit all diesen Kreisen, die gezogen werden, die einschließen und ausschließen und die sich nicht immer so schnell wieder auflösen wie jener erste Kreis, damals, am ersten Schultag. Was war an ihm, das ihn nicht überleben ließ? War da überhaupt etwas an ihm? Was fehlte ihm? Gab es eine Schwelle, die er nicht überschreiten konnte, eine, die ihn bewahrt hätte? Gab es eine Schwelle, die wir ihm verstellt hatten? Hatte sein Tod überhaupt mit ihm zu tun? Oder mit uns? Mit der Welt um ihn herum? Warum er und nicht ich? Hätte es nicht genauso viele Gründe für mich geben können? Warum war ich aus dieser Zeit hervorgegangen? Ich war mit ihm im Kreis gewesen. Hätte es nicht genauso für mich gelten können? Ist das nicht willkürlich, wen es trifft? Wer aus dieser Zeit der Kindheit, die keine mehr ist, wer aus diesen Jahren der Unbestimmtheit hervorgeht, ist das vorhersehbar?

War der Grund, warum ich noch Jahre nach dem Abitur gebraucht habe, um mein Begehren zu entdecken, derselbe wie der, warum er sich das Leben genommen hat? War die Sehnsucht, die wir nicht verstehen, nicht entdecken, nicht leben konnten in dieser Zeit, dieselbe?

*

Die Liste war ordentlich. Der Winkel, an dem sich die beiden Achsen kreuzten, war mit einem Geodreieck gezogen worden. Die Linien alle schnurgerade. Als sei es eine Hausaufgabe gewesen, die uns einer der Lehrer aufgetragen hätte. Als kontrollierten uns die Lehrer noch in all den Bereichen, in denen sie uns nicht kontrollierten. Feinsäuberlich waren die Namen alphabetisch in die Tabelle geschrieben worden. Es gab zwei Listen. Auf der Liste der Jungen verliefen die Namen der Jungen von oben nach unten, die der Mädchen von links nach rechts, die Liste der Mädchen war genau anders herum.

Die Welt teilte sich. Sie spaltete sich auf in Geschlechter, schon bevor die Körper sich dessen bewusst wurden, bevor sie eigentlich noch recht als Geschlechter entdeckt waren. Gewiss hatte es das auch vorher schon gegeben, diesen Riss in der Welt, der sich auftat als ein Naturgesetz ohne jede Natürlichkeit. Aber eigentlich spielte es vorher keine besondere Rolle. Es gab Jungen und Mädchen, Brüder und Schwestern. Natürlich hatten wir uns in unserer Verschiedenheit betrachtet und einander gezeigt. Ich hatte im Alter von gerade mal vier Jahren immerhin einen geliebten Schlumpf hergegeben, um den Nachbarsjungen zu bestechen, mir zu zeigen, wie er seine Vorhaut verschieben konnte. Ich hatte zwar einen Bruder, bei dem ich das auch hätte sehen können. Aber das wäre ganz gewiss niemals so billig zu haben gewesen. Natürlich gab es das schon, die feinen Unterschiede, aber sie bedeuteten bislang nur selten einen Unterschied.

Es gab getrennte Umkleidekabinen beim Sport. Da tauchten wir dann vorübergehend ab. In diese düsteren, etwas moderigen Räume, die die Geschlechtlichkeit von Anbeginn mit Dunkelheit und Schweiß assoziieren lassen sollte. Wir verschwanden aus dem gemeinsamen Leben, halbierten uns gleichsam für diesen kurzen Moment der Nacktheit, um uns direkt danach, angezogen, wieder zusammenzufügen. Am Ende, nach der Sportstunde, gingen wir wieder zurück in die

Kabinen und schlüpften in unsere Anziehsachen. Ich kann mich nicht daran erinnern, dass wir die verkalkten Duschen, die es gab, jemals benutzt hätten. Der Stundenplan sah auch gar nicht vor, dass Schüler ihre nassgeschwitzten Körper duschen sollten. Wir stoppten mit dem Sport kurz vor der Pause, und dann begann auch gleich die nächste Stunde im anderen Gebäude. Für langes Duschen – von Schminken war ohnehin noch nicht die Rede – blieb keine Zeit. Die Körperlichkeit von Jugendlichen oder das Waschen des jugendlichen Körpers kam den Lehrern oder der Schulleitung gar nicht in den Sinn. Einerseits hielten sie uns für zu jung, als dass wir überhaupt sinnlich genug sein könnten, um auf einen frischen und sauberen Körper Wert legen zu können. Andererseits hielten sie uns aber für zu alt, als dass wir uns noch hätten voreinander entblößen dürfen. Die Gemeinsamkeit, die Einheitlichkeit sollte es nicht geben. Zweigeschlechtlichkeit und Heterosexualität waren gesetzt, noch bevor Geschlechtlichkeit oder Sexualität recht herangereift waren.

Mehr als fünfzehn Jahre später lernte ich im Urlaub zum ersten Mal einen Hermaphroditen kennen. Ich wusste bis dahin gar nicht, dass es das gab. Ich kannte nicht einmal das Wort. Zwitter waren göttliche Figuren aus der griechischen Mythologie, ineinandergeschobene Wesen. Etwas anderes kannte ich nicht. Ich hatte mich gerade von meinem Freund getrennt und war mit einer Freundin von der Universität in den Urlaub gefahren. Wir waren bei Freunden zu Gast und betranken uns den Nachmittag über und spielten Trivial Pursuit.

Irgendwann tauchte ein befreundetes Paar der Gastgeber auf. Ein italienischer Fotograf und seine Freundin Nicola. Sie war jung und hübsch, schmal und elegant, und sie spielte vergnügt mit bei diesem absurden Spiel. Es war nichts Besonderes an ihr, außer, dass sie in auffälliger Weise die simpelsten Fragen nicht beantworten konnte. Nun passiert das bei Trivial Pursuit jedem gelegentlich. Die Beliebtheit des Spiels erklärt sich schließlich nicht dadurch, dass es klassische Bildung belohnt. Auch noch so enzyklopädisch Gebildete scheitern an der Frage, wie die Schwiegermutter von Fred Feuerstein heißt oder wer auf der Bahn neben Jürgen Hingsen lief, als der disqualifiziert wurde. Insofern war es nichts Ungewöhnliches, dass jemand passen musste. Aber Nicola schien Fragen nicht nur nicht beantworten zu können, sie schien Fragen nicht einmal einem bestimmten Kontext zuordnen zu können. Es war nicht irritierend, was sie nicht wusste, sondern dass es gar keine Assoziationsfelder zu geben schien, an die sie einzelne Themen hätte koppeln können, keine gestuften Schichten des Wissens, in denen sich hätte suchen lassen. Nicola hatte anscheinend Blüten von Wissen, wie vereinzelt auf einer Wasseroberfläche, hin und her gespült, vom Wind herangetragen, ohne Anbindung.

Sie war keineswegs unglücklich über den Spielverlauf, sie schien noch nicht einmal zu bemerken, dass es unterschiedliche Arten von Fragen gab, leichtere und schwerere, Fragen, die Peripherien des Wissens erkundeten, und solche, die aus den geläufigeren Gebieten stammten. Sie lachte über ihre Ahnungslosigkeit und über unsere, sie zog Karte um Karte mit der gleichen Hoffnung, nun eine Frage erfolgreich beantworten zu können. Sie fischte wie mit einem großmaschigen Netz im Wasser und freute sich über jede Blüte, die sich darin verfing. Ihre Sorglosigkeit vor der eigenen Ignoranz war ansteckend und befreiend, und so lachten wir, tranken und spielten und wunderten uns nur ein wenig über diese charmante Frau.

Etwas später gingen einige zum Schwimmen zum Strand. Ich blieb im Haus und begann zu kochen. Ich wusch Zucchini und Auberginen, halbierte sie der Länge nach, dann pellte ich Knoblauchzehen langsam aus ihrer Haut und schnitt sie in dünne Scheibchen, ich weiß nicht, warum ich mich daran noch so genau erinnere, ich ging auf die Terrasse, um etwas Oregano aus dem Gewürzkasten zu pflücken, als meine Freundin plötzlich neben mir stand und sagte: »Etwas stimmt nicht.« Sie hatte nicht gesagt: »Etwas stimmt nicht *mit ihr*« – und doch war sofort klar, über wen sie sprach. Beim Schwimmen war sichtbar geworden, dass die junge, schöne Frau einen männlichen Unterleib hatte. Keiner sprach, worüber alle den Rest des Abends nachdachten. Bis Nicola und ihr Freund wieder gegangen waren. Dann erzählten uns unsere Gastgeber, was sie wussten von Nicola.

Nicola hatte einen Körper, der sich keinem eindeutigen Geschlecht zuordnen ließ. Sie war nicht transsexuell, sie hatte keine operative Geschlechtsumwandlung hinter sich, sondern sie war intersexuell. Sie war nicht in einen Körper hineingeboren, dessen eindeutiges Geschlecht ihr fremd war. Sondern sie war in einen Körper hineingeboren, der zwei Geschlechter entwickelt hatte und gleichsam unentschieden geblieben war. Ihre Pubertät, in der sich die Brüste gleichzeitig zu ihrem Penis ausbildeten, war eine Geschichte der fortlaufenden Ausgrenzung, weil die Ambivalenz ihres Geschlechts vor allem als soziale Bedrohung wahrgenommen worden war. Eine der qualvollsten Erfahrungen ihrer Schulzeit waren ausgerechnet die Umkleidekabinen beim Schulsport gewesen: Orte der Normierung, in die sie nicht eingelassen wurde, weil sie Eindeutigkeit verlangten. Sie hatte irgendwann die Schule aufgegeben. Nicht, weil sie die Anforderungen nicht hätte erfüllen können oder nicht gerne lernen wollte, sondern weil sie nicht passte in diese aufgeteilte Welt. Das war der Grund für ihre Wissenslücken.

Nicola führte vor, was für uns andere genauso galt: die Verordnung der Geschlechtlichkeit, die uns selbstverständlich erscheinen soll und die wir als Unhinterfragbares annehmen, weil es uns, in unseren Körpern, leichter fällt. So gleiten wir hinein in Normen wie in Kleidungsstücke, ziehen sie uns über, weil sie bereitliegen für uns, weil sie uns übergestülpt werden, weil sie sich anpassen oder weil wir, unbemerkt, uns anpassen. Normen als Normen fallen uns nur auf, wenn wir ihnen nicht entsprechen, wenn wir nicht hineinpassen, ob wir es wollen oder nicht. Wer eine weiße Hautfarbe hat, hält die Kategorie Hautfarbe für irrelevant, weil im Leben eines Weißen in der westlichen Welt Hautfarbe irrelevant *ist*. Wer heterosexuell ist, hält die Kategorie sexuelle Orientierung für irrelevant, weil die eigene sexuelle Orientierung im Leben eines Heterosexuellen irrelevant sein *kann*. Wer einen Körper besitzt, in dem er oder sie sich wiedererkennt, dem erscheint die Kategorie Geschlecht selbstverständlich, weil dieser Körper niemals in Frage gestellt *wird*.

Wer den Normen entspricht, kann es sich leisten zu bezweifeln, dass es sie gibt.

Besonders kurios war diese Zweiteilung beim Schwimmen im Freibad, das zum Gymnasium gehörte und zu dem wir, lange bevor es auch nur annähernd sommerlich und warm wurde, jedes Jahr genötigt wurden. In meiner Erinnerung gab es weder Schließfächer noch richtige Bänke, auf denen wir unsere Sachen ablegen konnten. Eigentlich gab es gar nichts außer dieser Trennung von Jungen und Mädchen. Was mich allerdings keineswegs daran hinderte, noch in Badehose zu schwimmen. Solange es bei mir nichts gab, das durch einen Badeanzug zu verdecken gewesen wäre, solange gab es für mich keinen Grund, einen Badeanzug zu tragen. Einfach als Marker weiblicher Identität leuchtete mir der Badeanzug nicht ein. Meiner Mutter glücklicherweise auch nicht. Das war noch nicht einmal ein bewusster Akt der Rebellion, kein Widerwillen dagegen, etwas Mädchenhaftes zu verkörpern. Ich verkörperte es ja kaum. Das war's ja gerade. Wozu also ein Badeanzug? Vermutlich hätte ich es andersherum genauso wenig gewollt: wenn alle Kinder zunächst einen Badeanzug getragen hätten, und dann, ab einem bestimmtem Alter, die eine Gruppe zu einer Badehose hätte wechseln sollen. Vermutlich hätte ich das auch vermeiden wollen: anders zu werden als die anderen, sich plötzlich unterscheiden zu sollen von dem, was vorher einmal als normal gegolten hatte.

Wie wäre es wohl gewesen, wenn es diese Trennung nicht gegeben hätte? Wenn die Verschiedenheit als nicht bedeutsam gegolten hätte? Wenn Jungen und Mädchen als Kategorien irrelevant gewesen wären? Wenn das Geschlecht so wie die Haarfarbe eingestuft worden wäre: als Eigenschaft, als individuelle Körperlichkeit, die unterschiedlich ausfallen könnte, aber die keinerlei soziale Folgen hätte, die keinerlei kollektive Kasten schaffte? Und was wäre, wenn die Tabelle nicht nach Mädchen und Jungen unterschieden hätte, sondern einfach nur die Namen der Schüler untereinandergereiht hätte. Das war uns ja nicht einmal als Möglichkeit erschienen, dass auch Jungs hätten Jungs und Mädchen hätten Mädchen mögen können.

Sie kursierte, diese Tabelle, wanderte von Tisch zu Tisch, und dann trugen wir uns ein, mit dem gebeugten Arm vor unserem Nachbarn geschützt, als würde der nicht wenige Minuten später alles sehen können, und schrieben in die Zeile hinter unserem Namen in jedes Feld eines jeden Jungen eine Note. 2, 3–, 5, 1– oder 4+. Wir bekundeten unsere Zuneigung oder Abneigung, nicht im direkten Gespräch, nicht im heimlichen Liebesbrief, sondern in einer Liste, die durch die ganze Klasse gereicht wurde. Mit Noten, als sei es ein Leistungsnachweis, zeigten wir unsere Gefühle oder das, was wir dafür hielten. Eine andere Sprache hatten wir nicht. So trugen wir diese Ziffern ein, so vergaben wir Zahlen und Urteile, für jeden einzelnen in der Klasse, für jeden einzelnen des anderen Geschlechts zumindest, selbst für diejenigen, für die wir eigentlich gar nichts empfanden, weder Zuneigung noch Abneigung. Die bekamen dann eine 3– oder eine 3+, etwas Belangloses. Und wir vergaben hemmungslos, ohne Zögern, schlechte Noten für die, die uns nervten oder ekelten, die uns sonderbar erschienen oder unheimlich und wofür wir keine andere Form des Ausdrucks hatten als diese Liste. Ob die Betroffenen dann enttäuscht waren oder gekränkt, das bekümmerte niemanden.

Woher kam das? Wer hatte diese entsetzliche Idee gehabt? Hatte das jemand aus meiner Klasse erfunden, oder übernahmen wir nur etwas, das alle neuen Jahrgänge am Gymnasium wiederholten, zitierten wir eine Tradition, ohne sie als solche zu erkennen, so wie man im Herbst das Laub zusammenkehrt und verbrennt, allein weil das die Jahreszeit zu diktieren scheint?

Es war grauenhaft. Da lasen wir nun, im Wissen darum, dass alle anderen es auch lasen, dass der Junge, den wir mochten, uns unausstehlich fand oder, mindestens so schlimm, dass der Junge, den wir mochten, von allen anderen genauso gemocht wurde oder … Es gab zahllose Möglichkeiten der Demütigung und der Pein. Die Liste wurde durch die Reihen gereicht, und jeder wurde Zeuge der eigenen Beliebtheit oder Unbeliebtheit. Heutzutage ersetzt Facebook diese handgefertigten öffentlichen Arenen, aber das ändert nichts an der Sichtbarkeit der eigenen Verletzung, die darin möglich gemacht wird. Warum machten wir das?

Daniel und ich hatten Glück. Wir kamen davon auf diesen Listen. Wir bewegten uns im oberen Bereich, versammelten gute Noten und konnten uns darauf konzentrieren, ob wir die beste Note auch von denen bekamen, von denen wir sie auch haben wollten.

Sie wanderten eine Weile lang herum, diese Zettel, wurden neu ausgefüllt, die einzelnen Kandidaten neu bewertet, und dann, eines Tages, nachdem auch bei der x-ten Wiederholung dieselben Namen immer die guten Noten auf sich vereinten und dieselben Namen immer nur die schlechten

Noten sammelten, wurde die Liste verkürzt. Wer sich das ausgedacht hatte, weiß ich nicht. Als spielten die weniger Beliebten gar keine Rolle mehr, als seien sie überflüssig, als wären sie so aussichtslos unbeliebt, bei allen und jedem, dass es gar keinen Sinn mehr hatte, sie überhaupt auch nur zu bewerten, als gehörten sie nicht mehr dazu, wurden sie ausgeschlossen und weggelassen. Es wurde eine neue Liste entworfen. Wieder mit den Namen der Jungen in der senkrechten Achse und den Mädchen in der waagerechten für die Jungen und eine andersherum für die Mädchen. Doch jetzt gab es nur noch sechs und sechs Namen. Die Liste der Jungen und die Liste der Mädchen waren jetzt so kurz, dass beide Skalen auf einen Zettel passten.

Der Rest kam einfach nicht mehr vor.

*

Mein erster Freund war Ben. Er hatte dunkle Locken und diesen lässigen, leicht schlurfenden Gang. Warum Ben mein erster Freund war, war eigentlich unklar. Das hatte sich durch die Listen so ergeben, er gefiel mir, und es war nun mal die Zeit, in der wir mit jemandem befreundet sein sollten, und diese Freundschaften sollten anders sein, als es bisher die Freundschaften waren. Das hatte mehr von einem Beschluss als von Begehren. Vielleicht war das einfach, weil das Gymnasium eine andere Welt sein sollte, weil wir, die wir auf der Beobachtungsstufe waren, uns zwar nicht besonders beobachtet fühlten, aber uns selbst beobachten wollten.

In diesen ersten Jahren am Gymnasium fand noch alles gleichzeitig statt: die Spiele von Kindern und die Rituale von Jugendlichen. Wir spielten stundenlang auf den rutschigen Steinen am Fluss, bei Flut, wenn das Wasser hoch stand und wir auf den Steinen hockten und warteten, bis die Bugwellen von vorbeiziehenden Containerschiffen uns erwischten, und wir spielten »ditschen« mit kleinen, möglichst flachen Steinen bei Ebbe und möglichst ruhigem Wasser. Am Fluss war die Zeit etwas, das zu sehen war: an den Linien am Strand, die das Dunkle vom Hellen, das Feuchte vom Trocknen teilten. Am Wrack des gestrandeten Schiffs, das zu weit im Wasser lag, als dass die Ebbe den Weg dorthin hätte freilegen können. Es stand düster und unerreichbar. Mal, bei Hochwasser, fast ganz versunken, mal, bei Ebbe, mit dem Wasser bis zum oberen Drittel der Rumpfwand. Nur im Winter, wenn der Fluss fror und die Schollen günstig lagen, konnte man es riskieren, auf jedes Knirschen im Eis horchend, ob sich unter den eigenen Schritten Risse bildeten, bis zu dem geheimnisvollen Schiff zu gelangen.

Wir tauchten ab im Wald, kletterten in die Fuchsbauten im Farnkrautfeld oder bauten Baumhütten auf den klettergünstigen Rotbuchen. Der Wald war kaum besucht. Ganz selten kamen Hundebesitzer des Weges. Wir verschwanden, mittags, nach der Schule, manchmal mit belegten Knäckebroten als Proviant, und tauchten abends wieder auf, verdreckt und meistens mit aufgeschürften Armen und Beinen.

Und irgendwie hatten wir den richtigen Rythmus nicht gefunden. Oder vielleicht auch nur ich nicht. Nachträglich scheint es so, als sei ich immer entweder zu früh oder zu spät gewesen, aber nie im Takt der Zeit. Ich hatte den Moment verpasst, an dem es nicht mehr schicklich war, im Wald zu verschwinden oder am Fluss herumzustromern. Der Wald war meine eigene Welt, eine unerschöpfliche Landschaft aus Sträuchern mit wilden Beeren und ausgetrockneten Bachbetten, aus Gerüchen und Geräuschen, aus Pflanzen und Bäumen, die Spuren hinterließen und Ankündigungen demjenigen versprachen, der all die Zeichen des Waldes zu lesen verstand.

Allein hatte ich mir das vorgenommen und nur meinem Hund diesen Beschluss leise ins Ohr geflüstert, dass ich mir den Wald hinter dem Haus meiner Eltern aneignen wollte, seine verwachsenen, schmalen Wege, mir das Innere der Rhododendren mit ihren knorrigen Zweigen erschließen wollte, ganz langsam, ohne die Äste zu brechen, nur zurückbiegen, und dann hinein in die tiefe, kugelige Pflanze, die nach außen so geschlossen wirkt mit ihrem dunkelgrünen Dach und nach innen dann so großzügig luftigen Raum freigibt.

Ich wollte Bäume blind unterscheiden lernen: Ich schloss die Augen, legte die Hände an die Rinde der Bäume, die ich kannte, und ertastete langsam ihre Haut, mit den Fingerspitzen fuhr ich durch die Rillen, fühlte ihnen nach, vertikal, erspürte die knorpeligen, spröden Erhöhungen, wie hölzerne Adern, und prägte mir ein, das war die Haut einer Eiche, trocken wie ein Händedruck. Ich übte weiter: diese glatte Haut, mit einem leicht körnigen Staub darauf, der herunterrieselte, wenn man die Hände an dem Stamm rieb, eine pralle Rinde, als drängte es von innen, als platze gleich ein neuer Trieb direkt unter der eigenen Hand hervor, das war die Haut einer Buche.

Es gab eine besondere Buche im Wald, die stand unterhalb des Weges, und wenn es regnete, füllte sich der Spalt zwischen den Ästen und dem Stamm etwas mit Wasser; es fühlte sich wie eine Achselhöhle an, nur mit der Vertiefung nach oben, so dass Regen sich darin sammeln konnte. Wenn ich in die Achsel der Buche klopfte, sprang mein Hund an dem Baum hoch und trank das Wasser aus der hölzernen Mulde.

Oder dieser Baum mit pergamentener Haut, ein dünner Stamm, schmal, jungenhaft, aber mit papierener Schale, mit brüchigen Stellen wie Schorf, das waren Birken, aschene Bäume, die ich später, mein Leben lang, mit Bergen-Belsen assoziieren sollte, weil wir einmal das ehemalige Konzentrationslager an einem kalten, nebligen Frühlingstag besucht hatten, mein Vater hatte beschlossen, dass wir, auch als Kinder, das sehen sollten, und mich die zahlreichen Birken an den Massengräbern mit ihrer milchigen Farbe so irritiert hatten. Vermutlich hatte mich nicht eigentlich die Farbe gestört, sondern einfach nur, dass sie da überhaupt standen und wuchsen, aus *dieser* Erde herauswuchsen, dass sie nicht verdorrten, eingingen, zerbrachen.

Mit der Zeit wurde mir der Wald immer vertrauter, und ich begann mir auch die Gerüche vorzunehmen, ich brach Zweige ab und roch daran, köpfte Blüten von ihrem Stengel und roch daran, ich wühlte feuchtes Laub auf, schichtete Moorfladen von Steinen oder der Erde und hielt meine Nase hinein, ich legte Archive an, innerlich, über den kurzen Moment, vielleicht die letzte halbe Stunde, vor einem Wolkenbruch, und für die ersten Minuten danach, wenn der Regen den Wald eingetaucht hat, wenn alles anders riecht, die nassen, dampfenden Steine, die Sträucher, das Gras. Ich speicherte die Erfahrung dieser Verwandlungen, wie sich die Natur öffnen, recken, strecken, entblößen und von innen nach außen kehren kann, wie sie ihre Konsistenz ändern kann, weicher wird, nasser, poröser, glatter, oder eben trockener, brüchiger, knorriger, wie sie sich zusammenziehen kann, kleiner oder größer werden, ein lebendes, atmendes, vielsprachiges Wesen.

Und so schien es mir das Normalste von der Welt zu sein, für den ersten Kuss zu der Höhle in den Wald zu gehen. Die Geschichten vom ersten Kuss klingen bei anderen immer so romantisch, so verzaubert. An meinem ersten Kuss war eigentlich das Aufregendste, *dass* es der erste Kuss war. Zu der Höhle im Wald waren wir schon oft gegangen. Es war der vertrauteste Ort, der nur uns gehörte. Das selbstgebaute Versteck bestand aus einem querliegenden Stamm einer Fichte, inmitten von Buchen und Eschen. Der Baum war so gebrochen, dass ein Teil des Stammes eben oberhalb des Waldbodens lag. Mit etwas gesammeltem Geäst verflochten, war es wie ein kleines hölzernes Iglu. Da küssten wir uns dann, und es mengte sich der leicht metallene Geschmack von Ben mit dem von frischem, warmem Laub.

Auf der nächsten Klassenfahrt hatte Ben abends an mein Zimmer geklopft, und als ich dann die Tür aufmachte, stand er im Türrahmen und sang »All my loving« für mich. Ben mochte die Beatles. Und er mochte offensichtlich mich. Er kannte alle Liedtexte auswendig. Ich hockte auf der Kante vom unteren der beiden Stockbetten und hörte zu und wusste nicht, warum ich mir so komisch vorkam. Ich schaute abwechselnd auf Ben, der im Halbrund der anderen Jungen aus der Klasse stand, mit denen er offensichtlich gewettet hatte, ob er sich das trauen würde, und auf die Mädchen aus meinem Zimmer, die mich um etwas beneideten, das ich eher ein wenig peinlich als beneidenswert fand.

Ich weiß nicht, ob ich schon in diesem Moment aufhörte, Ben zu mögen. Er hatte wunderbar gesungen. Und alle hatten es als Beweis seiner Verliebtheit genommen. Aber ich konnte dieses Forum nicht vergessen: die offene Tür, die Jungen, die hinter ihm standen und fast in die Hose machten vor Aufregung, ob er es wirklich tun würde, und vor Respekt, dass es ihm gelungen war, was sie nie schaffen würden – weil sie keinen Liedtext auswendig kannten oder weil sie niemanden hatten, für den sie etwas singen konnten. Und ich konnte nicht vergessen, wie dieser Halbkreis da um ihn herum war, ein bisschen so ein Kreis wie der vom ersten Tag. Ben stand leicht schräg, halb zu mir hingewandt, halb zu den anderen Jungs, als müsste er sie im Auge behalten, als wagte er es nicht, sich ganz von ihnen abzuwenden. Vielleicht ist das ungerecht. Vielleicht hatte er nur ein wenig Schutz im Türrahmen gesucht – vor Lampenfieber. Vielleicht war das nur normal. Aber so schön das Lied auch war, sosehr ich Ben auch mochte, so sehr war auch damals schon klar: Er hatte für die Jungen gesungen.

*

Wonach suche ich? Daniel ist tot. Er hat sich das Leben genommen so wie viele andere Schüler. Damals geschah das still. Allein und ohne Zeugen. Kein großer Abgang, keine

Ankündigung im Internet, keine schwarzen Kampfanzüge und Camouflage-Masken, keine Schnellfeuergewehre aus Papas Waffenarsenal. Das gab es noch: Selbst-Tötungen, die nicht auch gleich andere mit in den Tod reißen wollen, Abschiede aus dem Leben, die aus Ausweglosigkeit, aus Trostlosigkeit, aus Ohnmacht heraus geschürt wurden und die damit keine Phantasien von Allmacht, von Rache, von Vernichtung verbinden wollten.

Keine nachgestellten Hinrichtungen, keine inszenierten Auftritte, die einmalig sein wollen und doch nur Repliken virtueller Figuren darstellen, die im Moment der Unvergesslichkeit, der Tötung anderer, endlich einmal Aufmerksamkeit erhaschen wollen und dazu Gesten und Masken wählen, die sie sofort wieder vergessen machen, weil sie bloße Zitate der Film- oder Videogeschichte darstellen. Wer erinnert sich noch an die Gesichter der Amokläufer von Columbine oder Winnenden? Wer erinnert sich an die Namen? Sie gehen unter. Erinnert werden höchstens die Videospiele, aus denen ihre ästhetischen Schablonen stammen, denen sie sich anverwandeln wollten, einen Tag oder einen Tod lang.

Daniel hat sich das Leben genommen. Ob er einen Brief hinterlassen hat, weiß ich nicht. Ich vermute, alle, die einen geliebten Menschen durch Selbstmord verlieren, suchen danach, hoffen darauf, dass es das gäbe, einen Abschiedsbrief, einen Text, der sie befreit von ihrer eigenen Hilflosigkeit. Und sei es nur, damit sie anderen, die nach Gründen fragen, eine Antwort geben können.

Mein Großvater hat sich das Leben genommen. Das wusste ich nicht, bis ich Anfang zwanzig war. Er war melancholisch, so sagte man in den sechziger Jahren wohl, als Depression noch keine gesellschaftlich anerkannte Krankheit war. Das ist nichts, dessen man sich schämen müsste. Mein Großvater hatte sein Leben reich und intensiv, bewusst und genießerisch gelebt. Er hatte einen Brief hinterlassen, aber vielleicht war das nicht einmal nötig gewesen, sich zu verabschieden. Er hatte sein Leben dem Leben zugewandt gelebt. Vielleicht konnte er im Sterben sich auch dem Tod zuwenden. Vielleicht musste er sich im Sterben auch dem Tod zuwenden. Vielleicht hätte ihn alles andere abgehalten von seinem Entschluss.

So wie Orpheus auf dem Weg vom Hades zurück in die Welt der Lebenden Eurydike nur bei der Hand halten darf, aber sich nicht zu ihr umwenden, weil der Blick zu ihr, der Geliebten, eben auch ein Blick zurück zum Reich der Toten wäre, aus dem er sie gerade entführte. Aber dieser Blick, der Hoffnung abgewandt, ist den Liebenden, dieser offenen Zuwendung oder dem Offenen Zugewandten, unmöglich.

> *Süß, ihr Götter, ist die Hoffnung,*
> *die ihr mir huldreich habt bereitet;*
> *doch der Schmerz, der sie begleitet*
> *wird mich bald dem Tode weihn.*[1]

Vielleicht darf, wer auf die umgekehrte Reise sich begibt, aus dem Leben, nur nach vorne, zum Tod, schauen. Vielleicht ist ein Brief da manchmal der eine Blick zu viel, vielleicht wäre das der eine Blick zurück, ins Leben, zu den Geliebten, der erstarren ließe.

Aber Daniel hatte noch nicht gelebt. Er hatte noch nicht genießen können. Er hatte nichts verloren, dem er nachtrauerte, er hatte noch gar nichts gewonnen, das er so lieben konnte, das ihm so wert war, dass er die Sehnsucht danach nicht hätte ertragen können. Oder doch?

Hatte die Sehnsucht schon einen Adressaten? Wusste Daniel schon, wie er lieben oder leben wollte? Wusste das irgendeiner von uns damals?

Vielleicht ist es das, wonach ich suche? Nach dem unbekannten Adressaten der Sehnsucht oder nach dem Ursprung des Exils. Nach dem Anfang des Wollens. Vielleicht suche ich danach, weil es mich noch heute wundert, wie es mir gelingen konnte, in dieser Zeit, in diesem Umfeld, das eigene Begehren zu entdecken. Vielleicht weil ich mich frage, ob Daniel entdeckt hatte, wonach er sich sehnte, aber das, was er begehrte, nicht zu haben war. Oder wusste er nicht, wonach er suchen sollte.

Vielleicht aber suche ich danach, weil es mir heute immer noch begegnet, dieses Exil, in all den Ländern, in die ich reise, vor allem muslimische Länder, aber nicht nur, religiöse, traditionale Gegenden, wo es das immer noch gibt, dieses Wollen ohne Begriff, dieses sprachlose Suchen nach dem eigenen Sehnen, die Sexualität, über die niemand sprechen darf. Vielleicht schreibe ich darüber, weil es nicht vorbei ist, weil wir, die wir etwas anders begehren, uns nicht so sicher fühlen sollten, weil wir denken sollten an all die, die auch so lieben wollen wie wir und es nicht dürfen, weil die Geschichte von Daniel sich immer noch wiederholt.

Vielleicht weil ich gegen das Schweigen von damals eine Erzählung setzen will, eine, die nicht nur die von Daniel sein könnte, sondern auch die all derer, die heute nach Geschichten suchen, die sie leben können.

*

Chips und Erdnussflips waren in kleinen Schalen überall im Raum verteilt. Vermutlich hatte Daniels Mutter das noch nachmittags gemacht. Sie arbeitete mit ihrem Mann in der Gärtnerei. Sie erledigte die Büroarbeit, nahm Bestellungen entgegen, organisierte die Fahrten mit dem Transporter, der die Pflanzen zu den Kunden bringen sollte, führte Buch über die Gärten, die eine regelmäßige Pflege brauchten, sie kümmerte sich auch um die Verpflegung der zwei jungen Mitarbeiter, und sie achtete darauf, dass Daniel nicht zu viel beansprucht wurde von dem Vater, dass er noch Zeit zum Lernen hatte und nicht unterging in der Arbeit mit den Bäumen. Sie war gleichermaßen schön wie kraftvoll, eine kleine, lebendige Frau mit denselben grünen Augen wie ihr Sohn, den sie liebte. Das Haus war gleich neben der Gärtnerei, auf dem Land, so dass Daniel immer mit Bus und S-Bahn fahren musste, um zur Schule zu kommen.

Auf dem Tisch stand Nudelsalat mit Schinkenwürfeln und Gurkenstückchen und viel Mayonnaise. Alkohol gab es noch nicht. Zumindest nicht offiziell. Literflaschen mit Cola und Fanta standen bereit. Aber Daniel wusste, wo das Fach in der hölzernen Schrankwand war, in dem die Flasche »Pott-Rum« aufbewahrt wurde. Daniel war auf allen Partys der ersten Jahre eingeladen. Er war still, aber immer mit dabei.

Er war etwas ausgewachsener als wir, etwas kräftiger als die anderen Jungen, die Hände waren schmal, aber lang. Ich hatte seine Schultern bemerkt, die ganz gerade zur Seite verliefen, wie mit dem Lineal gezogen. Aber ich hatte nie darüber nachgedacht, wodurch sich sein Körper so früh formte. Daniel sprach nie von der Arbeit in der Gärtnerei, nie vom Schleppen der Säcke mit Blumenerde, nie von den Nachmittagen, an denen er einspringen musste für einen Angestellten. Anfangs musste er bei den leichten Arbeiten mithelfen: die Werkzeuge säubern, den Laster ausmisten, die kleineren Pflanzen und Blumen für Beete und Töpfe zusammenstellen, die Rankgitter basteln, an denen eine Clematis hochwachsen konnte, Sämlinge pikieren. Später dann auch beim Schneiden der Rhododendren und Rosen, beim Setzen der Pflanzen und Bäume, beim Rasenmähen und Vertikutieren in den Gärten der Kunden seines Vaters.

Die Musik kam von einem Dual-Plattenspieler und war in diesen ersten Jahren so wahllos wie wir in unseren Annäherungen. Dass es verschiedene Genres und Szenen von Musik gab, das hatten wir noch nicht realisiert. Wir hatten keinerlei ästhetische oder politische Kriterien: Wir hörten Pink Floyd und Beach Boys, Barclay James Harvest und Rolling Stones, Abba und Fleedwood Mac. Eigentlich unterschieden sich die Songs primär nach ihrem Nutzwert: schnelle Stücke als Einpeitscher und langsame zum Engtanz. »Wild Horses« von den Stones war in dieser Welt gleichwertig mit »Michelle« von den Beatles.

Es wurde dunkler, und die langsamen Stücke nahmen zu, wir wechselten die Tanzpartner und tanzten mit jedem eng umschlungen, es gab keine exklusiven Paarbildungen, keine Hierarchien, keine Grade der Annäherung, wir hofften auf die Balladen, und dann drückten wir uns aneinander und spürten den Körper des anderen. Einen nach dem anderen. Es war wie im Wald. Es ging darum, in den Umarmungen die Unterschiede zu erfühlen, ich drückte meinen Körper an den eines Jungen und, blind, wie bei der Rinde der Bäume, ertastete ich mir die Besonderheiten, wer sich schmal anfühlte, wer kräftig, wie der Atem zu spüren war, wie fest die Umklammerung war, wie geschmeidig es sich hineinlegen ließ, wie die Knie sich berührten, bei den langsamen Schritten, die Hüften, wie warm es wurde.

Und dann küssten wir uns. Das gehörte dazu, zu den Engtanz-Feten, dass geküsst wurde, und zwar ausnahmslos jeden. Wir tanzten mit allen und küssten alle. Uns wäre nie in den Sinn gekommen, dass das vielleicht sonderbar war, jeden zu küssen. Wir hatten gar keine Vorstellung davon, dass Intimität etwas Ausschließliches sein könnte, etwas Intimes eben, das nur zwei Menschen miteinander und füreinander entdecken wollen. Das war keine bewusste Entscheidung. Es war keine politische Überzeugung, dass Erotik gemeinschaftlich geteilt oder Zuneigung demokratisch verteilt sein sollte. Wir hatten gar keine Überzeugung. Wir sprachen auch nicht darüber. Wir erfanden Regeln und Rituale, von denen wir dachten, sie seien so üblich, und wir kopierten Regeln und Rituale, von denen wir dachten, wir hätten sie erfunden.

Und so erküsste ich die Möglichkeiten, erfühlte, blind, die verschiedenen Lippen, wie sie feucht sein konnten, geöffnet, gierig, hart, weich, abwartend wie die Mulde in der Buche im Wald, und ich spürte die Unterschiede, wie sich manches besser anfühlte, wie sich mein Mund und mein Körper annäherten, und ich entdeckte auch, wie sich auf einmal manche Jungen wandelten, in meiner Vorstellung zumindest, wie sie sich reckten und streckten, sich öffneten und entblätterten, auf einmal, und so eine ganz andere Person freigaben als die, die ich vorher in ihnen gesehen hatte.

*

Das Buch lag aufgeklappt vor uns, und wir starrten auf die schematisierte Abbildung. Wir hoben den Blick, ohne jemanden anzusehen, nur um nicht gesehen zu werden dabei, zu lange in das Buch zu schauen, und wir senkten den Blick wieder, nur um nicht angeschaut zu werden und im Blick irgendeine Art von Kontakt herstellen und aushalten zu müssen. Keiner wusste so recht, wie diese Mischung aus Scham und Neugierde am besten zu verbergen wäre, und jeder dachte, alle anderen wüssten, wie das ginge. Die übertriebene Aufgeräumtheit unseres Klassenlehrers war ein beunruhigendes Indiz für seine eigene Anspannung. Betonte Lockerheit konnte nichts Gutes verheißen.

Seit wann »Sexualkunde« »Sexualkunde« und nicht »Aufklärung« hieß, war nicht mehr nachzuvollziehen. Vielleicht nahmen die Lehrer an, wir alle hätten bereits »Aufklärungs-Gespräche« mit unseren Eltern hinter uns. Und nun, in der Version der öffentlichen Schule, sollte das, was den Jugendlichen schon ihre Eltern vermittelt hatten, einen wissenschaftlichen Anklang haben. In den siebziger Jahren allerdings begann die »Sexualkunde« so früh, dass den Eltern gar keine Gelegenheit gegeben wurde, die Ersten zu sein bei der »Aufklärung«. Vielleicht sollten wir auf diese Weise auch lernen, dass die »Aufklärung« etwas ist, das immer den Ereignissen hinterherhinkt.

Jedenfalls hatten wir alle die ersten Einheiten der Grundschul-»Sexualkunde« bereits hinter uns, als sie auf dem Gymnasium erneut auf der Agenda stand. Vermutlich war es eine Errungenschaft, dass Jugendliche überhaupt, zumindest theoretisch, für sexualisierte Wesen gehalten wurden. Vermutlich war es eine historische Leistung, dass Sexualität überhaupt thematisiert werden sollte. Vermutlich hatte die Generation unserer Lehrer selbst niemals, weder mit ihren Eltern noch mit ihren Lehrern, über Sexualität gesprochen. Vermutlich hätten wir dankbar sein sollen über diese Enttabuisierung der Sexualität an einer öffentlichen Schule. Das Problem war nur: Über Sexualität wurde gar nicht gesprochen im Sexualkunde-Unterricht.

»Sexualkunde« verhandelte reine Reproduktionstechnik. Im Schulbuch gab es schematische Abbildungen von längsseits zerschnittenen Leibern, die das Innere der weiblichen und männlichen Gestalten freilegten. Mit schmalen Pfeilen waren die Organe und Geschlechtsteile markiert wie für einen chirurgischen Eingriff, bei dem die Assistenten informiert werden, wo sie die Klammern setzen sollen. Alles war sauber beschriftet und nummeriert, jedes Teil hatte eine Bezeichnung und eine mechanische oder biologische Funktion. Vielleicht war das der Grund, warum es im Biologieunterricht zur Sprache kam. Angesichts der schematischen

Zeichnungen, die mit ihren Schläuchen und Röhren wie aufgeschnittene Auto-Motoren aussahen, hätte es allerdings genauso gut im Physikunterricht stattfinden können. Es hatte die Ästhetik eines Baukastens und wurde didaktisch aufbereitet wie eine Gebrauchsanleitung. Nur ging es für die Lehrer bei *diesen* Instrumenten nicht darum, uns ihren Gebrauch zu erklären, damit wir sie auch benutzen können, sondern darum, uns den Gebrauch zu erklären, damit wir sie *nicht* benutzen würden.

Es war pädagogisch eine unlösbare Aufgabe: Wir sollten lernen, wie sich unsere Körper vereinigen konnten, wie die Flüssigkeiten ineinanderflossen, wie die anschwellende Erregung sich entlud, wie der Rhythmus der Empfängnis aussah, wie die Tage zu zählen waren, in denen eine Schwangerschaft möglich war – nur um die Empfängnis zu verhindern. Das war das eigentliche Thema der Sexualkunde: Reproduktionstechnik und Schwangerschafts-Verhinderung. Es wurde erläutert, wie wir schwanger werden könnten, damit wir nur ja nicht schwanger würden. Kurioserweise erinnere ich mich nicht mehr, ob auch über Verhütungsmethoden, Kondome oder Antibabypillen, gesprochen wurde. Das Wesentliche war, zu wissen, wozu Körper in der Lage wären, wenn man sie ließe – um sie bloß nicht zu lassen.

Es war beredte Hilflosigkeit. Über Lust und Begehren, über die verschiedenen Möglichkeiten, sich in den Körper eines anderen hineinzulieben, über die gewollte Besinnungslosigkeit, über die Gier nach Mehr, über Formen der Berührung, Arten der Befriedigung, über den Durst, der größer wird, je mehr es zu trinken gibt, über nichts davon wurde gesprochen. Wir wuchsen hinein in eine Zeit, in der die Körper ein Eigenleben entwickelten, in der wir Emotionen ausgeliefert waren, für die wir noch keine Begriffe hatten, in der uns die Lust richtungslos vor sich hertrieb, wie ein geruchloses Tier, immer wieder wendend, wechselnd, linkisch, verwirrt über die eigene Orientierungslosigkeit, wir entdeckten gerade unseren Körper, wir entdecken vor allem, dass er sich auf einmal nicht mehr nach unserem eigenen Körper anfühlte, weil er anders aussah, weil er sich verwandelte, weil er einen anderen Rhythmus einführte, weil er überhaupt auf einmal auftauchte, sichtbar wurde, fühlbar, das waren wir selbst, und wir spürten zugleich, dass wir uns nicht mehr kannten.

Und alles, was uns in dieser Zeit erzählt wurde, war die technische Zusammensetzung unseres Körpers, war die mechanische Erörterung von Erektion und Penetration, die zur Schwangerschaft führte.

Niemand gab uns Begriffe, mit denen wir hätten Vorstellungen ausbilden, Lust hätten erkunden können, mit denen wir eine erotische Sprache hätten erschließen können, niemand erklärte, dass das Begehren ein Fluss ohne Ufer ist, niemand versicherte uns, dass darin zu schwimmen sich wie freiwilliges Treibenlassen anfühlen würde, dass Sexualität nichts mit den sauberen Schablonen der Bücher zu tun hat, sondern dass es unsauber zugeht, dass alles nass wird, der Körper überzogen und durchtränkt wird von Schweiß und Blut und den Säften aus allen Öffnungen und Poren des Körpers und dass man sich auflöst darin, niemand sprach darüber, was es für Vorstellungen und Begriffe über Lust und Sexualität gab, die mit Lust und Sexualität nichts zu tun hatten, niemand löste die Phantasien auf, die wir hatten, niemand nahm uns den Druck, die zwanghafte Idee, schneller, früher, schärfer, größer, weiter zu sein als die anderen.

Niemand sprach über Onanie und Masturbation, niemand über Arten und Formen, sich selbst und die eigenen Wünsche zu entdecken, niemand über sexuelle Praktiken, die das *telos* der Lust und nicht der Empfängnis haben könnten. Ich kann mich auch nicht erinnern, dass über Orgasmen (allein der Plural!) gesprochen wurde. »Samenerguss« natürlich, »Eisprung«. Aber »Orgasmus«?

Es galt vermutlich als besonders liberal, im Unterricht über Sex zu sprechen, ohne von Liebe, Seelenverwandtschaft, Störchen oder Engeln zu reden. Vermutlich war es mutig und antiklerikal gemeint, Sexualität überhaupt von religiöser Doktrin und von der Ehe entkoppelt zu verhandeln. Ich liebte meine Schule. Ich bin ihr bis heute dankbar für das, was in mir dort angelegt und entwickelt wurde. Mein Philosophielehrer, meine Deutschlehrer, mein Geschichtslehrer und späterer Tutor, sie waren durchweg wunderbar engagierte Lehrer, die uns eine moralisch-politische Grundierung vermitteln wollten. Aber das Sprechen über Sexualität blieb fortgeschritten und rückständig zugleich. Im Ergebnis ersetzte der biologistische Diskurs nur den religiösen, und die Art, in der Sexualität immer im Hinblick auf Schwangerschaft thematisiert wurde, um die Schwangerschaft zu verhindern, produzierte noch mehr Angst als es jede katholische Unterweisung vermocht hätte. Nicht wegen des sündhaften Charakters der Lust sollten wir Sexualität fürchten, sondern wegen der gefährlichen

Folgen der Lust. Sexualität war nicht mehr lasterhaft, aber bedrohlich.

*

Ab wann beginnt das Erwachsenwerden? Nimmt das einen Anfang? Zu einem bestimmten Zeitpunkt? Wann war das, was wir erlebten, nicht mehr Kindheit? Woran machte sich das fest? Und wer konnte das bestimmen?

Coming-of-Age sagt man, und mir bleibt rätselhaft, was damit gemeint sein soll: das Erwachsenwerden, das Überwinden der Pubertät, die Entdeckung der eigenen Sexualität oder alles gleichzeitig? Worauf bezieht sich das Erwachsenwerden, *was* wird denn da erwachsen?

Die verschiedenen Religionen haben Riten und Traditionen erfunden, um das Erwachsenwerden als eine Schwelle zu definieren, als einen bedeutenden Übergang, von dem an einem Jugendlichen religiöse Reife zugetraut oder zugemutet wird. Ob bei der Bar-Mizwa / Bat-Mizwa, der Firmung oder der Konfirmation, stets feiern Familien und Gemeinden ihre Zöglinge in Festen der Initiation, die Kinder in einem einmaligen Akt zu Erwachsenen erklären. Mit dem Lesen des *Maftir*-Abschnitts aus der Thora oder dem Sprechen des christlichen Glaubensbekenntnisses wird nicht nur die religiöse Tradition in vertikaler Linie weitergereicht, sondern das Kind soll von nun an, durch diesen Sprechakt, ein Erwachsener sein.

Dass es sich dabei, profan gesprochen, um ein grandioses Missverständnis handelt, merkt man spätestens daran, dass die Beschenkten mit den Gaben der Verwandten meist nichts anfangen können: wertvolle, schöne Geschenke, silberne Löffel oder Nachschlagewerke, alles Dinge, über die sich Erwachsene, die einen bildungsbürgerlichen Haushalt führen, maßlos freuen würden, aber eben nicht Kinder, deren Glücksbegriff flüchtiger ist, als diese Geschenke es erlauben.

Ab wann also bestimmen Religionen die religiöse Reife? Was sind die Voraussetzungen dafür? Ab wann gelten Jugendliche als reif?

Im Judentum wird das Erwachsensein definiert als die Fähigkeit, die Gebote zu befolgen. Im Talmud gilt in diesem Sinne ein Kind als erwachsen, das versteht, was Konsequenzen bedeuten. Nur wer die Worte begreift, die er spricht, weiß, wann er jüdische Regeln oder Gebote befolgt oder bricht. Der Talmud sieht Mädchen ab elf Jahren und einem Tag und Jungen ab zwölf Jahren prinzipiell dazu in der Lage, den Sinn von Geboten zu verstehen, aber sicher gilt es erst bei Mädchen ab zwölf und bei Jungen ab dreizehn Jahren. Aber die Altersgrenze allein reicht einigen Rabbinern nicht aus. Zur Bestimmung der Volljährigkeit wird nun ein körperliches Merkmal hinzugezogen. Während bis hierher nur die intellektuelle Fähigkeit, die eigenen Worte und Gelübde zu verstehen, relevant war, werden auf einmal »Pubertätszeichen« entscheidend. Wenn der Junge »keine zwei Haare hat«, so heißt es, ist er minderjährig.

Warum sollte religiöse Reife an sexuelle Reife gekoppelt sein? Weil es auch im Sexuellen günstig sein könnte, die Folgen der eigenen Worte abschätzen zu können? Weil es auch im Sexuellen entscheidend sein kann, die Konsequenzen des eigenen Handelns zu begreifen?

»Halbreifling«, so nennt der Babylonische Talmud jugendliche Mädchen. »Die Weisen«, so heißt es da, »gebrauchen beim Weibe bildliche Bezeichnungen: Unreifling, Halbreifling, Reifling.«[2] Ein Unreifling ist demnach ein Kind, ein Halbreifling ein Weib im Mädchenalter, und ein Reifling ist ein Mädchen, sobald es »mannbar« ist, wie es dort weiter heißt, »dann hat ihr Vater keine Gewalt mehr über sie«.

Ich vermute, hätte man mich in meiner Pubertät einen »Halbreifling« genannt, es hätte mir gefallen. »Mannbar« wollte ich zwar nicht werden, aber es hätte mir die Ambivalenz des Wortes gefallen, das Unfertige, Offene darin, und ich hätte, ob als »Halbreifling« oder »Reifling«, immer darauf bestanden, dass die Zeit, in der mein Vater Gewalt über mich haben sollte, nie hätte begonnen haben dürfen.

Muslime bestimmen zwar auch den Moment, ab wann Jugendliche als *baaligh* gelten, ab wann sie für die Gesetze des Glaubens reif sind, bei Mädchen wird das oft an das Einsetzen der Menstruation, bei Jungen an das Auftauchen der Schamhaare gekoppelt, aber bis heute hat sich, soweit ich weiß, keine Form eines rituellen Fests herauskristallisiert, das diesen Moment besonders sichtbar machen würde. Aber diese Schwelle unterstellen alle, diesen Augenblick, an dem geschlechtliche und religiöse Reife zusammenfallen sollen und der willkürlich als Übergang zum Erwachsensein deklariert wird.

Auch bei uns am Gymnasium hieß es zunächst, wir würden von den Lehrern mit »Sie« angesprochen, sobald wir konfirmiert seien, als ob der Respekt vor den Schülern mit dem Bekenntnis zur christlichen Kirche verbunden wäre. De facto hielt sich dann aber niemand mehr an diese Ansage: sei es, weil wir bereits mit 13 konfirmiert oder gefirmt wurden, und unsere geistige wie religiöse Unreife nur allzu offensichtlich war, sei es, dass unsere jungen atheistischen Lehrer diese Tradition ohnehin ablehnten.

Religiöse und nichtreligiöse Gesellschaften stimmen darin überein, das Erwachsenwerden nicht als einen Prozess, eine Entwicklung, sondern einen klar markierten Moment zu bestimmen. In Lateinamerika wird die weibliche Reife oft zum fünfzehnten Geburtstag mit der *fiesta de quince* gefeiert, in Bali wird die rituelle *Coming-of-Age*-Feier mit dem Einsetzen der ersten Periode bei Mädchen und dem Stimmbruch bei Jungen terminiert, in Korea findet in der dritten Mai-Woche ein offizieller »*Coming-of-Age-Day*« statt.

Aber was, wenn sich Erwachsenwerden und Pubertät nicht in derselben Zeitzone bewegen, wenn sie asynchron verlaufen? Und was, wenn sich die eigene Sexualität nicht nur *einmal* entdecken lässt, in der Pubertät, sondern später noch einmal und dann erneut später, was, wenn sie sich immer wieder neu erfindet, wenn die Lust sich wandelt, das Objekt des Begehrens ein anderes wird, oder was, wenn die Art des Begehrens anders, immer wieder etwas anders wird: tiefer, leichter, wilder, rücksichtsloser, zarter, egoistischer, zugewandter, radikaler?

Ich bin mir nicht sicher, ob religiöse Reife irgendetwas mit sexueller Reife zu tun hat, aber ich vermute, dass auch der Glaube, wie das Begehren, sich nicht nur einmal entdecken lässt, dass es auch im Glauben, wie in der Lust, immer wieder neue Formen der Subjektivität gibt, dass es eine dynamische, suchende, sich wandelnde, sich vertiefende Bewegung ist. Dass es auch beim Glauben weniger wichtig ist, woran jemand glaubt, sondern wie, eben weil die Hingabe, die Auflösung hin zu jemandem, zu etwas die Tiefe kennzeichnet.

Das Wort vom *Coming-of-Age* unterstellt dagegen einen Akt, einen einzigen Vorgang, eine einzelne Form des Begehrens, die nur einmal erkannt werden muss. Es reduziert das Begehren auf so etwas wie die Initiation zur Sexualität – und endet dort. Die so verstandene Sexualität ändert sich nicht, sie bleibt, sie prägt, sie formt vorgeblich klar konturierte Wesen. Die handlichen Begrifflichkeiten von »Heterosexualität«, »Homosexualität«, »Bisexualität«, »Transsexualität« legen zudem nahe, dass sich Formen des Liebens, Praktiken der Lust verfestigen zu stabilen, lebenslangen Identitäten. So werden die Geschichten der Entdeckung der eigenen Lust meist in der Pubertät verortet, immer sind es lineare Erzählungen, aus denen ein einzelnes Begehren hervorgeht, das dann auf den Fluchtpunkt nicht einer Lust, sondern einer Identität zuläuft, die sich in jeder sexuellen Begegnung vorgeblich bestätigt.

Ist das wirklich so?

Meine Pubertät habe ich gleichzeitig mit Daniel durchlebt, das Erwachsenwerden hat Daniel gar nicht erlebt, da war er schon tot, diese Passage, was auch immer sie markiert oder eröffnet, diese Schwelle hat er nie überschritten, ich hingegen habe mein Begehren nicht allein in dieser Zeit entdeckt, vielmehr habe ich das Begehren oder hat das Begehren mich entwickelt, immer wieder neu, immer etwas anders, wie Ringe an einem Baumstamm haben sich neue Arten der Lust und des Begehrens um die früheren gelegt, viele Jahre, nachdem ich Abitur gemacht habe, Jahre nachdem sich Daniel das Leben genommen hat.

Wir haben nicht synchron gelebt, Daniel und ich, wir sind nicht gleichzeitig erotisch erwachsen geworden, die Geschichten des Begehrens lassen sich nicht zeitgleich erzählen. Aber die Suche nach den Quellen des Selbst verläuft parallel, die Fragen nach Daniel führten zur Suche nach den Bedingungen des (anderen) Begehrens. Wie sollten wir verstehen, was wir fühlten, wenn wir nicht wussten, dass es das gab? Wie sollten wir ausdrücken, was wir wollten, wenn es für dieses Wollen keine Begriffe, keine Bilder, keine Vorlagen gab? Wie sich aus diesen Jahren der Unbestimmtheit etwas Bestimmtes herauskristallisieren soll, etwas, das uns entspricht, das wir als Erwachsene leben wollen, das bleibt meist diffus.

»Erwachsenwerden«, das unterstellt eine individuelle Entwicklung, als ob die Pubertät im leeren Raum stattfände, als ob es nur an uns läge, wie schnell oder langsam, glücklich oder unglücklich wir sexuell erwachen. Das suggeriert, eine Erzählung ohne Kontext, als ob wir werden könnten, wie wir wollten, als ob das Wollen nicht in vorgefertigten Formen daherkäme, als ob die sozialen, politischen, ästhetischen Grenzen der Welt um uns herum nicht allzu oft auch die Grenzen der eigenen Phantasie beschrieben.

*

Es war Musik, die mir den Weg zu meinem Begehren gewiesen hat. Nicht Literatur. Nicht Film. Sondern Musik, genauer gesagt: die Vielschichtigkeit der Erfahrung von Musik, die damals, auf dem Gymnasium, die Spuren gelegt hat für jene Lust, die ich viele Jahre später erst erschließen sollte. In einer Zeit, in der von Homosexualität, von Bisexualität, von anderen Arten des Begehrens nicht gesprochen wurde, war es die Musik, deren Sprache mir all das eröffnete, was ich später erotisch erleben sollte. Ich vermute, Herr Kossarinsky, mein Musiklehrer, hatte sich das etwas anders vorgestellt mit der Wirkung seines Unterrichts, aber bis heute bin ich ihm nicht nur dankbar, sondern nachträglich begreife ich erst, dass Musik der Horizont war, der mir das Überleben ermöglicht hat, der Horizont, den Daniel wohl nie gefunden hat.

Die Musikstunden fanden in einem eigenen Raum statt. Ein kleiner, moderner Saal mit buntem Glas in den Fenstern, grünen, samtenen Vorhängen, einer flachen, einstufigen Bühne, auf der auch die grüne, bewegliche Tafel auf Rollen stand, und einem Bösendorfer-Flügel. La-la-la-la, aufwärts, la-la-la, abwärts. Unser Musiklehrer saß am Flügel und spielte Tonleitern. Und wir sangen nach. La-la-la-la, aufwärts, und la-la-laa, abwärts. Immer mit einem Ton höher als

Grundton: la-la-la-la, aufwärts, la-la-laa, abwärts. Noch einen Ton höher. Herr Kossarinsky war ein fröhlicher und zugleich ernsthafter Mann, stets korrekt gekleidet, streng, aber mit spielerisch-sinnlicher Freude an seiner Arbeit. Er trug immer eine kleine braune Aktentasche aus Leder, in der er Partituren und Tonbänder mitführte, die legte er vorne quer über sein Fahrrad, mit dem er zur Schule fuhr. Nachmittags, nach der Chorstunde oder der Orchesterprobe, wenn er besonders zufrieden war über den Klang, den wir geschaffen hatten, vollführte er Kunststücke. Er schwang sich rückwärts aufs Rad, saß mit dem Hintern auf dem Lenkrad, die Hände an den Griffen, und mit den Füßen umgekehrt in den Pedalen, und strampelte vergnügt und beherzt, mit dem Kopf über die eigene Schulter gedreht, vor sich hin. Jeder Versuch, es ihm nachzumachen, scheiterte schmerzlich.

Kossarinsky leitete den Chor der Schule im Wechsel mit dem anderen Musiklehrer: das Orchester, die Big Band, und, zu meinem großen Glück, den Musik-Unterricht in meiner Jahrgangs-Stufe. Er arrangierte Stücke in seiner Freizeit, transponierte bei jedem Ensemble, das sich am Gymnasium fand im Laufe der Jahre, er organisierte Instrumente für die Kinder, die musikalisch begabt, aber finanziell bedürftig waren, er begleitete bei Schulaufführungen, und er spielte manchmal, im Wechsel mit dem Kantor, sonntags und an Feiertagen die Orgel in der evangelischen Kirche im Ort.

»So, und jetzt etwas weniger verschlafen!«, er schaute die Jungs in der ersten Reihe an, die sich für zu lässig für morgendliches Singen hielten, Kossarinsky *dachte* gar nicht daran, schon jetzt Noten zu verteilen und sich damit den gelangweilten Blicken zu entziehen. La-la-la-la, aufwärts, la-la-laa, abwärts. Munter, als sei es das Aufregendste von der Welt, spielte er weiter, ließ uns einsingen und horchte dabei auf die Klarheit der einzelnen Stimmen, wie ein kundiger Weinverkoster, der in einem verstaubten, übervollen Keller nach einem Glücksfund stöbert. Langsam stiegen die ersten aus, konnten die Höhen nicht mehr erreichen, nach und nach sondierte er so die Stimmlagen, noch bevor wir recht wussten, dass es das gab.

Wir hatten uns beim Eintreten in den Musikraum einfach gesetzt, wie wir lustig waren. Nach Sympathien verteilt, bunt zusammengewürfelt, kreuz und quer. Kossarinsky verteilte nun die Noten, drückte sie jedem von uns in die Hand, lächelnd, hier und da mit einem frechen Spruch, der die undisziplinierten Kandidaten gleich zum Schweigen brachte, und dann ging er zurück zum Klavier, spielte die Melodie, und hieß uns nachsingen, nach Noten oder nach Gehör.

Jede Stunde sollte er so beginnen. Mit dem Einsingen. Mit dem Aufwärmen. Mit Tonleitern, Intervallen. Dann mit einem Lied. Erst Volkslieder. Dann Bach, Mendelssohn, Schumann, Schubert. Zunächst alle miteinander. Später teilte er die Klasse. Wieder teilte die Welt sich auf. Wieder wurden Jungen und Mädchen getrennt, aber nicht nach Geschlecht, sondern nach Stimmlage. Wir fächerten uns auf, aber diesmal mit Grund. Wir wurden zersplittert, aber diesmal nicht nur in zwei Teile, sondern später, nach dem Stimmbruch der Jungen, in vier. Es ging nicht darum, wer wir vermeintlicherweise *waren* oder sein sollten, sondern wie wir *klangen*, Sopran, Alt, Tenor und Bass, es spielte keine Rolle, ob Junge oder Mädchen, es spielte eine Rolle, was für eine Tonlage, was für ein Spektrum wir abdeckten, er teilte uns nicht auf, sondern ein, um einen anderen, vielstimmigen Klang zu erzeugen.

*

Heutzutage reise ich oft in Länder, in denen die Kreise meiner Kindheit noch immer gezogen werden. Ich bewege mich in Gegenden, in denen die Teilungen und Trennungen nach Geschlecht und Sexualität wiederholt und bestätigt werden, diese unausgesprochenen Codes und Konventionen, die das Terrain abstecken, in dem es zu sprechen, zu leben, zu lieben gilt. Es sind andere Kreise und andere Grenzen, sie sind kulturell gefärbt, religiös überschrieben, aber diese anderen Tönungen ändern doch nichts an der Struktur der Ausgrenzung oder Eingrenzung, an diesen Innenräumen, die sich den äußeren Linien anpassen, an dem Unausprechlichen der Zwischenräume, der Unsichtbarkeit derer, die sie bewohnen.

Bei einer meiner letzten Reisen nach Gaza wollte ich in eine vornehmlich von Anhängern des *Islamic Jihad* bewohnte Nachbarschaft von Gaza-Stadt. Am selben Tag waren zwei Palästinenserinnen aus israelischen Gefängnissen freigelassen worden, sie hatten den offiziellen Empfang bei *Hamas* schon hinter sich und sollten in Kürze bei ihren Familien eintreffen. Alles war vorbereitet: In der Straße vor dem Haus versammelten sich die Männer, die Älteren hockten auf weißen Plastikstühlen, die Jüngeren standen auf dem Bürgersteig, über riesige, schwarze Lautsprecher dröhnte triumphale Musik, im Eingang des Hauses prangten Fotos der Heimkehrerin, das Treppenhaus war vollgehängt mit bunten Luftballons. Wie immer die martialische Symbolik im öffentlichen Raum inszeniert wurde, drinnen, im Privaten, war alles in Kindlichkeit, in rosafarbene Freude getaucht, während für die Männer eine Heldin des Widerstands zurückkehrte, war es für die Frauen vor allem die Tochter, Nichte, Schwester.

Meine Übersetzerin, Hala, war eine junge, unverschleierte Palästinenserin mit schulterlangen schwarzen Haaren. Das ist selten geworden in Gaza. Im Verlauf der letzten Jahre, seit *Hamas* die Macht übernommen hat, schwinden unverschleierte Frauen aus dem Straßenbild nahezu vollständig, wenige wagen sich noch unbedeckt in die Öffentlichkeit, auch die Gewänder, Kleider und Mäntel werden länger, die Kopftücher allein reichen nicht mehr aus, der *niqab*, der schwarze Gesichtsschleier in Verbindung mit einem *chador*, einem langen Gewand, ist üblich geworden, besonders in einem Viertel, das vornehmlich von Anhängern des radikalen *Islamic Jihad* bewohnt wird.

Normalerweise habe ich ein Tuch dabei, einen Schal, etwas, mit dem ich notdürftig meine Haare bedecken kann, wenn das die Höflichkeit gebieten sollte. Niemals gelingt das richtig, immer stakt ein widerspenstiger Zipfel der Haare hervor. Das Kopfbedecken ist eine freundliche Anpassung, ein Zitat der Norm, das regelmäßig misslingt. Manchmal trage ich deswegen eine kleine Mütze unter dem Schleier, die verhindert, dass die Haare machen, was sie wollen, und die mir so das ewige Nachbessern und Herumfummeln erspart. Dass meine kleine Mütze einer in muslimischen Ländern oft von Männern getragenen Kopfbedeckung verdächtig ähnlich sieht, macht die Kombination aus Mütze und Tuch zusätzlich kurios.

Ob wir keine Schleier bräuchten, fragte ich Hala, etwas unsicher, ob es bei diesen frommen Anwohnern, noch dazu an einem solchen Tag, an dem sie feiern wollten, nicht besonders unhöflich wäre, ohne Kopfbedeckung vor ihnen zu erscheinen. Kein Problem, antwortete Hala fröhlich, sie sei ja mit mir unterwegs. Das war nicht meine Frage gewesen. Ich hatte mir nicht nur um sie, sondern um mich Gedanken gemacht. Stattdessen fand sie, meine Anwesenheit entschuldige ihre Unkonventionalität. Es war ohnehin zu spät, wir standen bereits mitten im Gang vor der Eingangstür, dicht bedrängt von allen, die hier ein und aus gingen und die uns, die wir weder Bärte noch Schleier trugen, staunend betrachteten.

Wir würden nach innen gehen können. Die Frauen im Innenhof sahen nach einer dunklen Masse aus, ununterscheidbar in ihren schwarzen Gewändern, konturlos, körperlos, eine wogende Wand aus Stoff, undurchdringlich, ohne Haare, ohne Gesicht, ohne größere Flächen Haut, Menschen aus Augen und Händen, und alle in Bewegung. Hala fragte sich durch nach der Dame des Hauses, Ahlam, wie es sich gehört, um zu klären, ob ich mit ihr sprechen dürfte, sie stellte mich vor, doch als ich meine Hand austreckte und ihre unter dem *chador* greifen wollte, zuckte sie plötzlich zurück, ich verpasste die Hand, rutschte nach oben und berührte ihren in schwarzen Stoff gehüllten Ellenbogen. Ein unangenehmer Moment. Misslungene Begrüßungen sind annähernd so peinlich wie scheiternde Abschiede. Aber es war so voll und gedrängt, irgendwo schubste immer jemand, kein Wunder, dass in diesem Durcheinander zwei Hände sich nicht finden konnten. Wir gingen die Treppe noch oben, vorbei an unzähligen Frauen, die Plastik-Karaffen mit Sirup trugen oder Tabletts mit gezuckertem Tee in kleinen Gläsern für die Gäste, die im Treppenhaus oder auf der Straße herumstanden.

Oben schließlich blieb Ahlam bei einer Gruppe von Frauen stehen, bald hatten mich alle umringt und so, im Halbkreis stehend, konnten wir sprechen. Was vorher wie eine homogene schwarze Masse gewirkt hatte, fächerte sich nun auf, einzelne Konturen wurden sichtbar, Individuen, Augenpaare. Sie sprachen munter, unterbrachen sich gegenseitig, um mir ihr Leben in Gaza zu erklären, sie erläuterten ihre Haltung zu *Hamas*, zum *Islamic Jihad*, zu Gilad Shalit, dem damals noch in Gaza gefangenen israelischen Soldaten, der zur traurigen Verhandlungsmasse zwischen der israelischen Regierung und *Hamas* geworden war, sie hatten Mitleid für die Mutter des jungen Israeli, sie konnten sich in sie hineinversetzen, schließlich hatten sie sich auch um ihre Kinder in israelischer Gefangenschaft gesorgt, und wie wir da so standen und sprachen, immer zeitversetzt und über die Bande von Halas Übersetzung, begannen sie auf einmal zu kichern, Hala übersetzte nun nicht mehr, sondern sprach direkt mit ihnen, anscheinend über mich.

»Sie wollen wissen, ob du ein Mädchen oder ein Junge bist ...«, erklärte Hala etwas beschämt. Alle Augenpaare starrten gebannt auf mich und meine Reaktion. Sie waren ängstlich, sie könnten mich verletzt haben mit ihrer Frage, aber mehr noch waren sie neugierig, die Antwort zu erfahren.

Ich mag solche Fragen. In hiesigen Kontexten werden sie selten gestellt. Offene Fragen werden verschluckt, verdeckt, verdrängt durch eine normierte Akzeptanz, die aus lauter Sorge, niemandem zu nahezutreten, letztlich niemandem nahekommt. Die aufgeklärte, heterosexuelle Mehrheit gibt sich tolerant, obgleich es nichts zu tolerieren gibt, manche rühmen sich ihrer Freundschaft mit Homosexuellen und sprechen doch nie über das, worüber Freunde eigentlich miteinander reden: über Sex. Viele gerieren sich als verständnisvoll und verstehen doch wenig, weil sie sich nicht zu fragen trauen. Die Neugierde, das Entdecken des anderen, das Erkunden des Gemeinsamen, aber auch der Unterschiede verschwindet unter dem schweren Mantel der gütigen Toleranz, die alles im Ungefähren lassen will, die lieber das Unbekannte tolerieren, als das Bekannte erschreckend anziehend oder abstoßend, begreiflich oder unbegreiflich, überraschend oder langweilig finden möchte – so können Homosexuelle als monolithischer Block bestehen bleiben, so wird die Gruppe sich niemals auffächern, wie die Frauen hinter dem Schleier, in individuelle Geschichten und Erfahrungen.

»Sie wollen wissen, ob du ein Junge oder ein Mädchen bist …«

Ich mag solche Fragen auch, weil sie mir ernsthaft scheinen und keineswegs kränkend. Die Empfindlichkeit, mit der manche auf Fragen nach unserer Sexualität reagieren, ist mir fremd. Als ob jede Frage nach der sexuellen Orientierung schon eine Beleidigung wäre, vor allem, als ob jede Frage nach diesem Begehren so leicht zu beantworten wäre, als ob es so eindeutig, abgeschlossen, unzweifelhaft wäre, als ob nicht das Begehren sich immer wieder verändert, erweitert, als ob es sich so kontrollieren ließe, zurechtstutzen, in eine Richtung zwängen, als ob nicht die Fragen berechtigt sein könnten, warum wir so oder so lieben, was den Unterschied ausmacht, seit wann wir das wüssten, ob wir uns dessen sicher wären ...

»Frag sie, wonach ich denn aussehe.« Ich beobachtete, wie Hala meine Worte ins Arabische übertrug, dann sprachen sie alle durcheinander, und Hala musste warten, bis sie sich geeinigt hatten, dann übersetzte sie: »Du trägst eine Hose, und hast kurze Haare, und das sieht aus wie ein Junge, aber wenn du lachst und wenn du sprichst, dann bist du eindeutig ein Mädchen.«

Ich musste lachen. Nicht nur, um sie zu vergewissern, dass ich ihnen ihre Zweifel nicht übelnahm, sondern weil das eine schöne Beschreibung war und ich mich darin wiedererkennen konnte. Erst jetzt begriff ich, was vorher bei der Begrüßung passiert war. Ahlam hatte nicht aus Versehen ihre Hand weggezogen, sondern sie hatte mich für einen Jungen gehalten, was sonst sollte sie auch denken bei jemandem mit kurzen Haaren. Sie lehnten nicht kurze Haare bei Frauen ab, sie wussten gar nicht, dass Frauen kurze Haare *haben* konnten. Dass mein Aussehen *eine* ästhetische Möglichkeit für Frauen sein könnte, war undenkbar, war nicht im Bereich des Möglichen, nicht im Bereich des für sie Möglichen. Ich musste ein Mann sein. Als ich die Hand ausstreckte, hatte sie gefürchtet, ich, ein Mann, würde sie verbotenerweise berühren.

Die Geschichte mit den Frauen in Gaza macht deutlich, dass nicht nur Worte, sondern auch Normen und Konventionen, Symbole und Gesten von ihrem Gebrauch abhängen. Wir unterstellen allzu leicht, dass die Weigerung, mir die Hand zu geben, die Frage danach, ob ich »ein Junge oder ein Mädchen« sei, etwas mit einer moralischen oder ideologischen Ablehnung zu tun habe. Aber die Frauen hatten mich nicht als Frau abgelehnt, sie hatten mich nur nicht als Frau *erkannt*. Das ist keine Frage der Ideologie, sondern eine des Verstehens. Sie *kannten* keine Frauen mit kurzen Haaren und mit Hosen. Alle symbolischen und ästhetischen Codes der Weiblichkeit waren an mir nicht sichtbar, für sie war ich als Frau nicht wahrnehmbar.

Als in den achtziger Jahren die Mafia in Sizilien die ganze Lebenswelt und Kultur beherrschte, lange bevor furchtlose Staatsanwälte und Polizisten gegen die Kartelle vorgingen, wurde bei der lokalen Polizei in Palermo ein Mafia-Mitglied vorstellig: Er wolle aussagen. Er wolle sich stellen und über alle Verbrechen, von denen er Kenntnis hatte, sprechen und kooperieren mit den Behörden. Die Kommissare lieferten den ehrlichen Mafioso in eine psychiatrische Anstalt ein – wer behauptete, gegen die Mafia aussagen zu wollen, musste verrückt sein. Es war kein Akt der Repression, dieses Handeln, sie glaubten wirklich, er sei nicht ganz bei Trost.[3]

So funktionieren Ideologien, so funktionieren aber auch schlicht Lebenswelten, nicht nur in Gaza, sondern auch in Paderborn oder Palermo, sie etablieren Regeln und Ideen, sie schaffen Praktiken und Überzeugungen, die jedem als natürliche, gegebene, nicht gemachte erscheinen, sie konstruieren Grenzen, die nicht überschritten werden dürfen: Grenzen der Vernunft, Grenzen der Scham, Grenzen der Kleidung, Grenzen der Frisur, die jedem als selbstverständlich und einzig mögliche erscheinen.

Ich überlegte, ob ich ihr erklären sollte, dass ich, als Mann, niemals versucht hätte, ihr die Hand zu geben, dass ich natürlich ihre eingeübten Schamgrenzen nicht hätte missachten wollen. Vielleicht dachte sie im selben Moment darüber nach, ob sie mir erklären sollte, dass sie mir, als Frau, natürlich selbstverständlich die Hand gegeben hätte, dass sie niemals meine Berührung gescheut hätte.

Wir sagten beide nichts.

*

Zu meiner Schulzeit herrschte konfessionelle Übersichtlichkeit. Muslime gab es in unserer Klasse nicht. Wir teilten uns zu ungefähr gleichen Teilen in Protestanten und Katholiken auf. Und dann gab es noch einen Juden. Beim obligatorischen Religionsunterricht der ersten Jahre auf dem Gymnasium, bevor es die Wahlmöglichkeit zwischen Philosophie und Religion gab, mussten die Protestanten zu dem komplett atheistischen Theologen im Lehrerkollegium, der Religionsunterricht als Literaturstudium verstand, die Katholiken mussten zum Priester aus der katholischen Kirche des Orts, der Religionsunterricht als Katechismus verstand, der Jude wiederum hatte eine Freistunde und durfte zur italienischen Eisdiele. Da wir aber ohnehin aufgeteilt wurden, fiel lange Zeit gar nicht auf, dass es einen Juden gab. Die Protestanten dachten, er sei Katholik, die Katholiken dachten, er sei Protestant. Und so fehlte er niemandem und war auch nichts Besonderes.

Die Konfession zog keine Grenzen. Wichtiger war die Zugehörigkeit zum neusprachlichen oder altsprachlichen Zweig. Ab der 7. hatte sich die Klasse geteilt, vorgeblich nach Sprachinteressen, tatsächlich eher nach Schicht und Bildungsgrad der Eltern, eine erfolgreiche Generation reproduzierte die nächste. Ich habe damals nicht so darauf geachtet, aber es würde mich wundern, wenn irgendjemand den altsprachlichen Zweig gewählt hätte, der nicht aus einem bildungsnahen Mittelschichtshaushalt kam.

Kuttersegeln oder Tennis markierte eine andere soziale Ordnung, die Jungs, die auf dem Fluss zum Kuttersegeln gingen, saßen am Wochenende oft noch am Strand zusammen und redeten, manchmal schloss sich ein Fußballspiel im Sand an die Segeltour an, sie träumten davon, Schiffsbauer zu werden oder eine Weltumsegelung zu machen, und sie rochen verwegener und aufregender als die anderen, deren Abenteurertum sich maximal auf den roten Staub auf ihren weißen Tennisschuhen beschränkte.

Mit Jakob, einem der kuttersegelnden Jungs vom Fluss, wollte ich zelten. Es war ein orangefarbenes Zelt, das wir unten im

Garten, an der Grenze zum Wald, aufbauten, Jakob, Markus und ich. Meine Mutter fand es ganz normal, dass ich mit zwei Jungen aus meiner Schule im Zelt übernachten wollte, und wir fanden das auch ganz normal, bis wir dann nachts zu dritt auf dem Boden des Zelts uns wälzten, und ich mal den einen und mal den anderen umarmte und küsste und mal beide gleichzeitig, mich küssen ließ, von beiden, und ich mich schließlich für Jakob entschied und wir uns berührten, beinahe willenlos, so sehr wollten wir, hilflos auch, weil wir gar nicht wussten, was wir eigentlich wollten, und auch nicht wussten, wie wir wollen können sollten, und welche Berührungen einander Lust bereiten konnten und ob wir das wirklich wollten: Lust bereiten. Es überkam uns einfach. Vielleicht mehr Neugierde als Lust, mehr Aufregung als Begehren, es erregte uns, diese Nacktheit zu spüren, die Haut entlangzutasten, nicht nur die Stellen, die sonst von Kleidung bedeckt waren, sondern die ganze Haut, den Körper entlangzutasten, alles zu entdecken, alle Mulden und Verstecke, alle Orte des Körpers, die keinen Namen hatten, die unaussprechbar waren, aber doch existierten, im Dunkeln, aber doch berührt werden konnten, ich bewegte mich wie auf den eisigen Schollen im Fluss, ängstlich, ob das Eis unter mir nachgeben könnte, ich versuchte mich leicht zu machen, mit jedem Fingerstrich, jeder Bewegung, die mich dem verbotenen Ort näher brachte, ich horchte innerlich auf jedes Anzeichen von Rissen, die sich auftun und mich hinabziehen könnten. Irgendwann wanderte ich ganz zu Jakob in den Schlafsack, und da blieb ich auch.

Am nächsten Morgen waren wir erschrocken und genauso sprachlos wie in der Nacht zuvor, nur war es nachts nicht so aufgefallen, doch nun breitete sich die Furcht vor Entdeckung aus wie Sand, legte sich in die Räume zwischen uns, schloss Fugen, verklebte Öffnungen, verschattete die Sicht und beschwerte das Schlucken. Was genau geschehen war, war unklar, aber es fühlte sich auf einmal, am Morgen danach, nach etwas zu weit an, nach etwas, das nicht vorgesehen war, und das war insofern zutreffend, als wir uns offensichtlich so weit berührt hatten, wie wir uns trauten, aber wir hätten uns auch mehr getraut, wenn wir gewusst hätten wie.

Die Grenzen der Lust waren noch die Grenzen der Phantasie. Wir hatten einfach keine Vorstellung davon, was danach geschehen sollte, unsere Hände, unsere Lippen hatten keine Erfahrung, aber das war nicht einmal das Schlimmste, wir hatten auch keine Vorstellung, wir konnten es uns nicht ausmalen, was wir wollen könnten. Vielleicht stimmt das auch nicht. Vielleicht waren in diesem Moment, damals, die Grenzen der Lust auch noch die Grenzen des Begehrens. Vielleicht waren wir auch einfach noch nicht getrieben genug vom Begehren, vielleicht waren wir noch mehr auf Entdeckungsreise, vielleicht trieb uns eher die Neugier als die Lust. Vielleicht.

*

Wir lagen flach in den Büschen im Wald und warteten auf Spaziergänger. Die pralle Packung mit den trockenen Erbsen neben uns im Laub, etwas stabilisiert mit Erde, damit sie nicht beim hektischen Suchen nach Munition im entscheidenden Moment umkippte. Wir hatten erst eine Weile lang an der Brücke gelegen und auf Autos geschossen. Aber das Risiko an der Straße war zu groß.

Markus hatte sich auf diese Weise mal eine Ohrfeige gefangen. Da hatten wir Wasserbomben, direkt von oben, auf die Wagen geworfen. Wir standen auf der Brücke und sahen, wie sie um die Kurve kamen, nach der dann die Steigung begann. Einheimische konnten wir akustisch von Fremden unterscheiden, weil sie schon vor der Kurve, also bevor sie für uns in Sichtweite kamen, einen Gang herunterschalteten, um am Fuß des Hangs gewappnet zu sein, und so kündete das hochtourige Geräusch vom nächsten Opfer.

Wir standen auf der dem Berg zugewandten Seite der Brücke, mit dem Rücken zu den Autofahrern, wir warteten, bis sie in den dunklen Spalt unter uns fuhren, und dann, auf der anderen Seite, wenn sie unter der Brücke wieder hervortauchten, ließen wir unsere prallen Luftballons auf sie herunterfallen. Es klatschte mächtig und war eigentlich nicht zu verfehlen. Den ganzen Tag hatten wir schon so verbracht. Immer wieder rannten wir nach Hause, um neue Ballons mit Wasser aufzufüllen, und liefen durch den Wald zurück zu der Stelle. Mir war gerade ein besonders schöner Treffer gelungen, wir freuten uns noch und schauten schon wieder den Berg hinunter, um den nächsten Wagen zu sichten, da stand auf einmal der wutschnaubende Fahrer vor uns beiden auf der Brücke. Wir hatten nicht bemerkt, dass er oben angehalten und den Weg nach unten durch den Wald genommen hatte. Ich rannte sofort runter von der Brücke und schlug mich ins Gebüsch, weg, bloß weg, Richtung Höhle, ich drehte mich nicht um und stoppte erst, als ich verkrochen unter der quer liegenden Fichte lag. Dann schaute ich zur Brücke.

Da stand Markus allein. Verdutzt und erschrocken. Ich lief wieder zurück zu ihm. Zu spät. Der Fahrer hatte ihm eine gescheuert, und war kurzerhand zu seinem Wagen zurückgekehrt. Ich fühlte mich elend. Nicht für das Werfen der Wasserbombe, nicht für den Schrecken, den ich dem Fahrer bereitet hatte, sondern dafür, dass Markus an meiner statt eine Ohrfeige bekommen hatte.

Deswegen lagen wir nun mit den Pusterohren im Gebüsch mitten im Wald. Aber es kamen nur ältere Paare vorbei, auf die wir nicht schießen mochten. Plötzlich raschelte es hinter uns, und als wir uns umdrehten, noch im Liegen, stand da ein mächtiger Boxer vor uns. Er war hektisch, wendig, schnüffelte mal hier und mal da, drehte sich im Kreis, und schien sich nicht entscheiden zu können. Er war ungeheuer athletisch gebaut, ein gewölbter Brustkorb, kraftvoll, die Muskeln und Sehnen der Hinterflanken traten deutlich hervor, er rannte um uns herum, als suchte er etwas. Wir waren verwirrt, was er hier zu suchen hatte, normalerweise waren Hunde immer neben ihren Herrchen auf dem Weg. Abseits des Wegs, im Gebüsch, das war eigentlich unser Reich, noch dazu hier in unserem Versteck, wo wir auf der Lauer lagen. Der Boxer rannte weiter, schnüffelte das Territorium ab, als wollte er etwas zu fassen kriegen, hechelnd verströmte er Ungezügeltheit wie einen betäubenden Duft, und wie er da seine Schnauze schüttelte, halb niesend, halb den Sabber vor seinem Maul spuckend, und dabei diese schnellen Bewegungen machte, bekam er auf einmal etwas Furchteinflößendes. Irgendetwas ekelte uns an diesem Hund, machte uns Angst, dabei war gar nichts Besonderes an ihm, er hatte keine besondere Anmutung, war keineswegs gefährlich, wirkte auch nicht wie ein Kampfhund. Es gab nichts Verdächtiges, nichts Bedrohliches, und trotzdem war er uns unheimlich.

Intuitiv, ohne lange Erklärungen nahmen wir unsere Puste-rohre, holten, ganz leise, eine Handvoll Erbsen aus der Tüte, nahmen eine Erbse in den Mund, beleckten sie und schoben sie mit der Zunge in die Öffnung des Rohrs, legten an, gleich-zeitig, und schossen auf den Hund. Daneben. Der Boxer hatte sich abgekehrt von uns, die Schnauze in Gerüche vertieft, die wir nicht rochen, er war vielleicht sechs, sieben Meter ent-fernt, wir sahen ihn von hinten, sahen seine Hoden zwischen den drahtigen Beinen und zielten darauf. Daneben. Wir sprachen uns ab. Einer zielte auf den After, der wegen des kupierten Schwanzes freilag, und der andere auf die Hoden. Ich erinnere mich genau an das Gefühl aus Angst und Ag-gression, und ich erinnere mich an den Blick auf diesen kurz-geschorenen Hund, auf seinen Körper, der auf einmal etwas verkörperte, das ich nicht hätte benennen können, der etwas auslöste, das ich loswerden wollte, und so schossen Markus und ich mit unseren trockenen Erbsen auf die Hoden des Boxers, potenzierten in diesem Moment unsere Angst vor der eigenen Potenzlosigkeit, wir wussten nicht, ob der Hund uns ausmachen würde als Angreifer, wir schossen auf unse-ren Ekel, unsere Erregung, unsere Furcht, bis wir trafen, und der Boxer aufzuckte, einmal, zweimal, wie ein Tier, das einen Stromschlag an einem elektrischen Zaun bekommt, und, ahnungslos, woher der Schmerz stammte, sprang er davon.

Wir lagen zitternd auf dem Boden. Still. Es verging eine Weile, dann nahmen wir unsere Pusterohre. Schweigend. Die Tüte mit den Erbsen ließen wir stehen. Wir wollten sie nicht mehr. Und ohne uns anzuschauen, ohne ein einziges Wort zu wechseln trotteten wir nach Haus.

Mit Pusterohren habe ich nie mehr geschossen. Es war vorbei.

*

Das Unsichtbare gab es immer schon. Unsichtbar waren Schmerzen. Anfangs zumindest. Sie schlichen sich an, von innen, fuhren in die Glieder und verunstalteten sie nach und nach. Unsichtbar waren Krankheiten, die ins Blut drangen, schmerzlos heimlich, und es nach und nach zerstörten. Unsichtbar war aber auch die Medizin der Heilerin in einer Hochhaussiedlung an der Peripherie der Stadt, die die Warze am Handgelenk beschwor, unsichtbar auch die toten Verwandten, mit denen sie sprach, während sie mit ihrer Hand über meinen Arm kreiste, unsichtbar schließlich, einige Wochen nach dem Besuch, auch die Wucherung, die von einem Tag auf den anderen verschwand, nicht einmal eine Unebenheit, nicht einmal eine farbliche Spur war auf der Haut zurückgeblieben, nichts, als ob es dort nie etwas gegeben hätte. Unsichtbar auch die Gaben der indianischen *curandera*, der Heilerin, die uns pflegte, als Kinder in Argentinien, wenn wir uns vergiftet hatten, und der meine Mutter selbstverständlich vertraute und damit jenes Vertrauen, das ohne Verstehen funktioniert, an uns übertrug.

Unsichtbar war die Metaphysik, und doch schien sie so selbstverständlich zu sein, dass nicht einmal als Frage auftauchte, wie an etwas zu glauben sein könnte, das doch nicht sichtbar war. Diese metaphysische Gestimmtheit bedeutete, wie Jean Améry das einmal formuliert hat, eine gewisse Unabhängigkeit von der sichtbaren Ordnung der Dinge, ein selbstverständliches Aufgehobensein jenseits all der realen Erfahrungen in der Wirklichkeit, eine Form der Unverwundbarkeit. So wie Liebe und Musikalität ist dieser Glaube unverfügbar, er lässt sich nicht beschließen, nicht begründen. So wie Liebe sich nicht beschließen lässt und jede Begründung, warum man einen Menschen liebt, jede Erklärung, die mit Eigenschaften der Geliebten auffährt, mit Beschreibungen von Gemeinsamkeiten oder Ähnlichkeiten, immer nur nachgeschobene Gründe bleiben, nur Illustrationen oder Symptome der Liebe, so wie die Liebe im Kern grundlos bleibt, eben weil sie geschieht, weil sie einen einnimmt, weil sie den Grund in sich selbst trägt, mit sprachloser Evidenz, so ist dieser Glaube. Wie Liebe oder Musikalität ist diese Vertrautheit mit dem Unsichtbaren ein Geschenk, das sich nicht fordern oder ablehnen lässt.

Bei meiner ersten Reise nach Jerusalem war ich erstaunt, dass all die narrativen Elemente der Bibel, der Garten Gethsemane, die Bäume darin, die Via Dolorosa, dass alles *existierte*, die Materialität, die anderen gerade als Bestätigung ihres Glaubens gilt, stieß mich eher ab, sie schmälerte die imaginäre Kraft der Erzählung, sie schien mir etwas zu nehmen, machte die Geschichte und die Vorstellung davon nur kleiner. Das Unsichtbare war eine selbstverständliche Gegebenheit und verband sich mit der Unabhängigkeit vom sichtbaren Beweis, der Gewissheit, dass etwas bestehen, in das eigene Leben eingreifen kann, ohne dass es eine Gestalt annehmen muss.

Bei uns waren alle Feiertage um das Unsichtbare inszeniert: Der Nikolaus brachte Gaben des Nachts und verschwand, es gab nur Spuren seiner Präsenz, Mandeln und Mandarinen, das Christkind kam bei verschlossenen Türen und war nur zu hören, wenn es mit einem seiner Flügel, aus Versehen, an die Glocke schlug, die am Weihnachtsbaum hing, die Osterhasen waren sowieso nicht zu sehen, auch wenn mein Bruder mir, erfolglos, durch mehr als deutliche Hinweise versuchte zu verstehen zu geben, dass sie mit mir am Frühstückstisch saßen. Die Unsichtbarkeit war das Existenzmerkmal dieser Wesen, und insofern konnten sie ja nirgendwo mit mir sitzen. Die heutzutage populäre, disneysierte Version dieser Feiertage, bei denen riesige Stoffhasen über öffentliche Parks hoppeln, zu Zweibeinern vermenschlicht, weil dem Schauspieler unter dem pelzigen Kostüm die gebückte Haltung nicht zuzumuten ist, war undenkbar. Auch die momentan allgegenwärtige Pädophilen-Version eines bärtigen Weihnachtsmanns mit großem Jutesack, der mit Kindern Gespräche über ihre Wünsche führt, während sie auf dem Schoß des unter seinem Filzmantel schwitzenden Alten sitzen – undenkbar.

Aber es gab auch noch eine andere Art Unsichtbarkeit, eine, die nicht zum Wesen der Dinge gehörte, sondern die gemacht war.

Über Homosexualität wurde in meiner Kindheit nicht gesprochen. Sie existierte, es gab Menschen, die waren homosexuell, aber sie tauchten für uns Jugendliche nie auf, nicht im Realen und nicht im Fiktionalen, sie wurden nie sichtbar, zumindest nie als Homosexuelle.

Sie erschienen wie Figuren aus »Malen nach Zahlen«, sie bestanden nur aus einzelnen Merkmalen, aus punktuellen Codes, die erst der Betrachter zusammen imaginieren musste. Die ganze Kontur war nicht zu sehen. Aus den einzelnen Andeutungen selbst entstand noch nichts, nur in der Phantasie, die die Zeichen miteinander verband, wurde »ein Homosexueller«. Niemals wurde das Eigentliche selbst benannt, das war die Kunst, so wie all die vielen Punkte in den Malbüchern ablenken sollten von dem, was durch die Verbindung der bezifferten Punkte entstehen könnte; so wie das Objekt auf dem Bild versteckt war und ohne den Betrachter nicht existierte, so gab es Homosexuelle nie expliziert.

Wir schauten »Stan und Olli«, »Dick und Doof«, wir lachten über sie, sie waren ein lustiges Paar, aber wir erkannten darin nicht die Parodien, wir sahen nur ästhetische Verschiebungen, indem männliche Figuren ein wenig lächerlich erschienen, efeminiert, ohne wirklich weiblich zu sein, immer ein wenig absurd in dem Bemühen, das Männliche zu präsentieren, immer leicht komisch in ihrem Scheitern. Die großen Hollywoodfilme der Zeit hatten wir nicht gesehen. In William Wylers »The Children's Hour« von 1961, mit Shirley MacLaine und Audrey Hepburn, tauchte Homosexualität auch nicht als Homosexualität auf, sondern nur als das Leiden daran, das Begehren war immer noch unausgesprochen, es existierte zwar, sichtbar allerdings war es nur als Qual, als Unmögliches, das die Menschen gleichermaßen zum Opfer der Projektionen ihrer Umwelt wie ihrer eigenen Lust machte. Das Begehren, das sie auszeichnete und unterschied, das Merkmal, durch das sie anders sein sollten, das Begehren selbst, wurde niemals angesprochen.

In meiner Kindheit, in meiner Schule, in unserer kleinen Welt in den siebziger und achtziger Jahren, blieben Homosexuelle unbestimmt. Es gab sie, etwas war anders, aber das, was anders war, war verborgen, darüber konnte nichts gesagt werden, und so blieben Homosexuelle auch Wesen der Imagination, nicht der Anschauung, unsichtbar wie eine Wüstenfeldmaus, eine seltene Spezies in der Tierwelt, etwas, das in Naturkunde-Büchern zu finden, aber niemals in der Natur zu betrachten war. Martin Danneckers und Reimut Reiches Studie mit dem wunderbaren Titel »Der gewöhnliche Homosexuelle« war 1974 erschienen[4] und konterkarierte, was es damals, in unserer Kindheit, nie gab: gewöhnliche Homosexuelle. Nicht, weil es sie nicht gegeben hätte, sondern weil sie nicht als solche wahrgenommen wurden.

Parallel zu unserer Kindheit, außerhalb unserer kleinen Welt, in Berlin oder New York, in San Francisco oder London, trugen andere die Auseinandersetzungen aus, von denen ich profitieren sollte, sie ließen sich von der Polizei verprügeln und verhaften, sie begehrten auf gegen Razzien und Beschattung, es gab sie längst, nicht nur unter internationalen Künstlern, die Aktivisten, die um die Rechte von Schwulen und Lesben kämpften, es gab nicht nur längst in Deutschland eine lebendige, politische homosexuelle Szene, die sich gegen Diskriminierung zur Wehr setzte, der Schauspieler Alexander Ziegler saß im Gefängnis und schrieb »Die Konsequenz«, Rosa von Praunheim drehte seine Filme, Hubert Fichte schrieb Bücher, aber davon wussten wir nichts. Es drang zu uns nicht durch. Für uns blieb Homosexualität etwas Irreales, Unwirkliches, Heimliches.

Das Schweigen über Homosexualität tarnte sich bestenfalls als Mitgefühl. Über diese Menschen wurde nicht gesprochen, sie wurden bedauert, als litten sie an einer tödlichen Krankheit, es galt sie zu schonen, so schien es das Schweigen nahezulegen, sie trugen ja schwer genug an ihrer Last, und niemand rührte daran, schlimmstenfalls galten sie als zu kurieren.

Es gab natürlich Homosexuelle, irgendwo, aber jeder, den es wirklich gab in unserer Welt, der in der Nähe war, der Volleyball-Lehrer, die Apothekerin, der Nachbar, dem wurden alle Zeichen der Homosexualität entzogen, alle eindeutigen Hinweise wurden bereinigt. Das Homosexuelle wurde mit enormem psychischem Aufwand weggedacht: Der Liebhaber, von dem alle wussten, dass es der Liebhaber war, wurde zum »Untermieter«, die Lebensgefährtin wurde zu »einer Freundin«, es wurden »Gästezimmer« eingerichtet, in denen nie jemand schlief, nur um den Glauben der Verwandtschaft an getrennte Betten von Liebenden aufrechtzuerhalten, es wurden alle noch so burlesken Auftritte, die auffälligen Gesten, die Inszenierungen, die Kleidungen ausgeblendet.

Es war eine gigantische intellektuelle Anstrengung, mit der alle Zeichen umgedeutet, alle sichtbaren Hinweise auf real existierende Homosexuelle ausgeblendet wurden. So wie der amerikanische Schriftsteller Ralph Ellison es in »Invisible Man« für Schwarze beschreibt, Menschen »aus Fleisch und Knochen«, die nicht wahrgenommen wurden, so blieben Homosexuelle unsichtbar.

Während im selben Moment, in der Fiktionalisierung mancher Filme in Kino oder Fernsehen, alle diese Hinweise ästhetisiert wurden, damit sie dann zusammen gelesen werden konnten als Spuren der Homosexuellen, wurden sie in unserer Realität wie in einem Negativ-Abzug des Fiktionalen genau dieser Merkmale wieder beraubt. Es gab homosexuelle Praktiken und Menschen, die so begehrten, aber im uns Kindern vermittelten Bewusstsein wurden sie gerade dieser Praktiken, dieses Begehrens beraubt. Sie wurden einerseits erkannt, aber nicht anerkannt. So entkoppelte sich die Lust von der Identität: Es gab Homosexuelle, aber ihre Homosexualität selbst wurde nicht erfasst.

*

Es gab Schichten der Wirklichkeit, offen zugängliche und verborgene, und wer sich für die verborgenen Schichten interessierte, brauchte Helfer, die einen zu unterweisen wußten in der Kunst, sich durch das Zugängliche nicht ablenken zu lassen, es brauchte Hinweise nicht auf Phänomene in der Welt, sondern auf Sprachen, mit denen sie zu erschließen wären, auf Wege, die Schichten abzutragen und zu entblättern, um zu anderen Wahrnehmungen der Wirklichkeit zu gelangen.

Das erste Orchesterwerk, mit dem Kossarinsky uns verführen wollte zur Leidenschaft des Hörens, war Johann Sebastian Bachs Brandenburgisches Konzert Nr. 2 in F-Dur. Er schrieb mit weißer Kreide die Daten an die grüne Tafel im Musiksaal, Bach-Werke-Verzeichnis 1047, und erzählte die Geschichte der Entstehung.

Und dann spielte er den ersten Satz ab. Ohne Erklärung. Ohne Aufgabe. Er vertraute darauf, dass wir uns der Musik nicht entziehen könnten, dass sie uns für sich vereinnahmen würde, dass wir diese Musik so sehr weiter hören wollten, dass er alles Wissen, das er uns vermitteln wollte, in die Pause zwischen dem wiederholten Abspielen legen könnte und wir dann willig und begierig sein würden. Wir sollten sagen, was wir gehört hatten. Er trug es zusammen an der Tafel, dann sollten wir noch mal hören und die Liste des Wahrgenommenen ergänzen. So fanden wir die Soloinstrumente Trompete, Blockflöte, Violine, Oboe – und natürlich die Streicher und den *basso continuo*. Wir hörten nicht nur, sondern hörten heraus. Der Klang erhielt Tiefenschärfe, da war der *continuo* und die einzelnen Instrumente, das Gebilde fächerte sich auf, schien sich räumlich auszudifferenzieren. Später ließ er uns das auch bei Klavierstücken üben: das genauere Hören – auch ohne Kenntnis des musikalischen Textes. Einfach nur *heraus*hören. Die linke Hand. Nicht nur die rechte oder nur die Melodieführung. Noch heute ist mir diese kindliche Übung selbstverständlich, noch heute übe ich das Horchen auf die linke Hand. Nicht nur bei der Musik, sondern kurioserweise auch bei Sprache, ich versuche in Sätzen meiner Gegenüber das Äquivalent zu einem *basso continuo* oder der *linken Hand* herauszuhören, das, was unter der Melodie des Gesprochenen liegt, das, was den Takt vorgibt, was die Stimme begleitet.

Dann ließ Kossarinsky uns Motive des Ritornell entdecken, er spielte sie an auf dem Flügel, die Tutti-Thematik, die ersten acht Takte aus dem ersten Satz, die eingängigen Wiederholungen der Motive, und dann die Solo- und Tutti-Thematik in den nächsten Takten. Die Soloinstrumente mit ihrem zweiten Thema spielte er erst vor, dann durften wir sie im Orchester hören. Die Harmonik ließ er noch aus, die Modulationen, all das folgte später. Wir sollten erst einmal entdecken, was wir hören konnten, und dann, nach und nach, lesend, mit der Partitur in der Hand, uns auf die Suche machen nach der Architektur der Musik. Als wäre es ein Rätsel, eine spielende Form des Entzifferns einer Sprache, die wir lernten, ohne dass es der Lehrplan als solche ausgegeben hätte.

Mit den Brandenburgischen Konzerten legte Kossarinsky die Fährte, der wir dann selbständig nachspürten, das Hören vermittelte er wie eine Art Schnitzeljagd, bei der Bach die Spuren im musikalischen Gelände gelassen hatte, und wir rannten los, aufgeregt, schauten hinter jedem Takt wie hinter Bäumen und suchten die Motive, die Kossarinsky an der Tafel notiert hatte, und wie im Wettstreit, wer zuerst die abgewandelten, variierten Schnitzel gefunden hatten, riefen wir beglückt auf, Schatzsucher der Musik, die er aus uns gemacht hatte. Dazwischen erläuterte er uns die verschiedenen Satzformen, den barocken Generalbass mit seinen Achtelbewegungen, er spielte das Seufzermotiv im zweiten Satz und ließ es uns dann hörend wiederentdecken.

Schließlich holte er eine andere Aufnahme des Konzerts und wir hörten die Verschiebungen, die sich auftaten, wenn derselbe 1. Satz in einer Einspielung mit alten Instrumenten erklang und auf einmal die Trompete weniger dominant (oder schrill) wirkte, sondern bescheidener zurücktrat in den Gesamtklang. Immer wieder schulte uns Kossarinsky darin, jenseits der Lektüre der Musik, das Hören zu üben, das wissende wie das unwissende Hören, die verschiedenen Einspielungen derselben Musik, und vermittelte uns so, wie selbstverständlich, das Prinzip von Interpretation. Was Deutung ist, was Lesarten und Spielarten eines Textes sind, habe ich über die Musik gelernt. Nicht über das Literaturstudium. Was für Talmud-Schüler die Deutungskraft verschiedener Interpretationen und Kommentare einzelner Passagen ist, die Überlieferungsschichten, die sich um den Ursprungstext, die Mischna, gelegt haben, war für uns die Vielfalt musikalischer Interpretationen, die sich einerseits aus dem Inneren des Werks selbst und andererseits aus den verschiedenen Artikulationen ergeben und die sich mit der Zeit um die ursprüngliche Komposition gelegt hatten. Die Gewissheit, dass jeder kanonische Text, jede Zeichensprache historisch variabel und kontextualisiert angewendet und interpretiert werden kann, war kein theoretischer Lehrsatz, sondern selbstverständliche Erfahrung aus der Welt der Musik.

So zeigte uns Kossarinsky über die Jahre Klangsprachen von verschiedenen Orchestern oder von Pianisten wie Friedrich Gulda, Maurizio Pollini, Wladimir Aschkenasi, Swjatoslaw Richter oder Wladimir Horowitz und ließ uns das genaue Hören üben.

Ganz am Schluss dieser ersten Stunde spielte Kossarinsky das Brandenburgische Konzert noch einmal.

*

Wie wenig ich weiß über Daniel. Das fällt mir erst jetzt auf, da ich darüber nachdenke, was in ihm vorgegangen sein muss in den Jahren, in denen wir zusammen aufwuchsen. Wenn ich mich frage, wie er in diese Isolation gedrängt werden konnte. Wenn ich mich frage, was es war, das ihm so ausweglos schien. Wenn ich mich frage, ob er das selbst hätte genau benennen können. Ich weiß es nicht. Manches hat vermutlich mein Gedächtnis auch verwischt, verschoben, verwoben mit Fäden von Erinnerungen, die sich nicht fügen wollen.

In diese Lücke hinein, in dieses Unwissen hinein, phantasiere ich manchmal einen glücklicheren Daniel, einen, der ein Hobby hatte, von dem ich nur nichts wusste, einen kleinen verwunschenen Garten, den er sich selbst angelegt hatte, mit Blumen und Pflanzen, die aussortiert worden waren in der Gärtnerei seiner Eltern, ich male mir aus, wie er nach der Schule, nach der Arbeit zu seinem geheimen Garten geradelt wäre, oder ich male mir einen Daniel aus, der eine Freundin gehabt hätte, eine, die seine geraden Schultern und die grünen Augen mochte, eine, mit der er am Fluss auf den Steinen gesessen und den Schiffen zugesehen hätte, wie sie zum Meer aufbrachen, ich stelle mir vor, er hätte geliebt, wie es sich gehörte damals, ich stelle mir vor, all meine Ahnungen wären falsch, vielleicht hatte er seine Freundin nur versteckt, vielleicht kam sie aus einem anderen Stadtteil, und wir hatten ihn deswegen nie gemeinsam mit einem Mädchen gesehen.

Ich phantasiere mir diesen anderen Daniel zusammen, weil ich mir wünschte, ich hätte mehr gewusst damals, wüsste mehr heute, weil ich mir wünschte, in diesem zu kurzen

Leben wäre mehr Glück gewesen, zumindest mehr als ich es mir vorstellen kann, im Hinblick auf die gemeinsame Zeit. Da war nicht viel Glück. Da war wenig Unbeschwertheit.

Manchmal, selten, denke ich in diese Lücke hinein auch weniger Freundliches. Ich male mir aus, er könnte abgedriftet, in zwielichtige Geschäfte verwickelt worden sein, ich male mir aus, wie er aus einer kleinen Dealerei mit etwas Gras, einem kleinen Ladendiebstahl oder einer Schlägerei, bei der er gewonnen hätte, nicht mehr zurückgefunden hätte, ich male mir aus, wie er nachts an den Autohöfen nahe der Fernstraßen rumgelungert hätte, bei den Striplokalen, den Toiletten, an denen sich die Strichjungen herumdrückten, diese Phantasien gelingen nicht so leicht, sie verbinden sich nicht mit dem echten Daniel meiner Kindheit, sie ergeben keinen Sinn. Aber sie wären wenigstens eine Erklärung, eine andere Erklärung für seinen Tod als die, dass er sich aus Verzweiflung über sein einsames Begehren das Leben genommen haben könnte.

*

Er tauchte auf, in unser aller Leben, als Lieferant. Eines Tages stand er vor der Haustür meiner Eltern und brachte eine Tüte frischer Brötchen. Das war eine Sensation. Frische Brötchen gab es morgens nie. Obst und Gemüse waren frisch. Aber Brot und Brötchen, das gab es aufgeschnitten aus der Tüte oder aufgebacken aus dem Gefrierfach. Er nannte sich »Gilbert«, und eigentlich hätte dieser französisch hingehauchte Name schon jeden misstrauisch machen müssen. Doch die Brötchen schmeckten, und Gilbert kam pünktlich, er war immer gutgelaunt und freundlich, und schon bald bot er an, er könne auch gerne zum Rasenmähen vorbeikommen oder anderweitig behilflich sein.

Gilbert war Ende zwanzig, Anfang dreißig, groß, athletisch, mit etwas weißlicher Haut, auf der die dunkle Körperbehaarung besonders auffiel, er hatte schwarze, gescheitelte Haare, die immer leicht wippten, wenn er mit seinem federnden Gang von der Gartenpforte zu unserer Eingangstür kam. Er radelte ab morgens um sechs Uhr, wenn der Bäcker öffnete, kreuz und quer durch den Ort und lieferte die Brötchen.

So ging er bald ein und aus, wo immer Jugendliche in dem Alter seiner Präferenz zu finden waren, und schnell hatte er das Vertrauen der Eltern und das Interesse der Kinder erlangt. Das Wort »Pädophiler« hatte ich noch nie gehört, ich vermute, meine Eltern auch nicht. Ich bin nicht einmal sicher, ob sie wussten, dass es das gab, Erwachsene, die sich Kinder gefügig machen und an ihnen vergehen. Vielleicht wussten sie es, aber Sexualität blieb ohnehin im ungenau Fernen, selbst wenn es längst nah gerückt und konkret war. Lust und Begehren, ob bei Erwachsenen oder Jugendlichen, wurden ausgespart, blieben unerreicht durch Begriffe, sie wurden nur umgrenzt, wie mit einem Zirkel, dessen Radius festgestellt ist, der immer größere Kreise zeichnet, aber nie den inneren Raum berührt.

Schuberts »Erlkönig« nach der Ballade von Goethe kannte ich in Dietrich Fischer-Dieskaus Aneignung, ich mochte die verhaltene Dramatik, mit der er die schreckliche Geschichte intoniert, ich hatte sie unzählige Male zu Hause gehört, aber ich hatte das Lied immer gehört als die Erzählung eines bangenden Vaters, der um seinen kranken Sohn fürchtet, nicht als die eines panischen Kindes, das von einem Erwachsenen bedrängt wurde.

Ich weiß nicht, ob es an meiner spezifischen Erziehung lag, an der Gegend, in der wir aufwuchsen oder an meiner Unbekümmertheit, aber damals gab es kaum Zonen der Angst. Es gab keine verbotenen Räume in der Außenwelt, keine Viertel, vor denen gewarnt wurde, keine Straßen, die es zu meiden galt. Wir verschwanden morgens in die Schule oder am Wochenende in den Wald, wir gingen spazieren, am Fluss entlang oder durch die Straßen, wir lungerten herum, und niemand sorgte sich.

Gewiss, wir sollten zu Fremden nicht ins Auto steigen, zu den sogenannten »Mitschnackern« wie das auf Plattdeutsch hieß, also denen, die einen durch Worte bezirzen konnten, mit ihnen zu gehen, es gab die Bilder der RAFler auf den Fahndungsplakaten bei der Post und auf dem Bahnhof, »Aktenzeichen XY ... ungelöst« verbreitete Woche für Woche Angst und Schrecken, aber sexueller Missbrauch, Pädophilie, das war in der Schule zunächst keine angesprochene, ausgesprochene Gefahr. Warum die »Mitschnacker« uns ins Auto hätten laden wollen, was mit uns geschähe, wenn wir einstiegen, das wurde ausgespart. Es hätte ja bedeutet, explizit zu machen, dass Jugendliche als Objekte der Lust gelten konnten, dass unsere Körper begehrenswert sein könnten. Dass wir selbst hätten begehren können, das war gänzlich unvorstellbar.

In einer Welt, in der Sexualität tabuisiert wird, in der die Lust als ambivalente, unheimliche Leerstelle firmiert, kann über Formen der Lust nicht verhandelt werden. Wenn das Begehren selbst diskreditiert ist, können unterschiedliche Arten des Begehrens nicht mehr wahrgenommen werden. Die Negation der Lust führt paradoxerweise in einem solchen Kontext zu ihrer Entgrenzung. Nur wenn Begehren als Lust gedacht wird, als etwas, das mit unbedingtem Wollen zu tun hat, kann es Grenzen geben, kann jene Sexualität markiert werden, die nichts mit Wollen zu tun hat, die gegen die Wünsche und Phantasien der Einzelnen verstößt.

Das ist der Kern des Konflikts um den strukturellen Missbrauch von Kindern in katholischen Einrichtungen in Irland oder Deutschland oder den Vereinigten Staaten, aber auch der Kern der sexuellen Gewalt und der Misshandlungen von Frauen und Homosexuellen in jenen muslimischen Gesellschaften, in denen Lust und Begehren so unterdrückt werden wie weibliche oder homosexuelle Subjektivität. Wo Lust *per se* verboten ist, ist *jede* Form des Begehrens transgressiv und es lassen sich Formen der Grenzüberschreitung nicht mehr wahrnehmen. Weil das eigene Wollen als undenkbar gilt, gerät fatalerweise auch der Blick auf das Wollen oder eben Nichtwollen der anderen, ob Frau oder Kind, aus dem Blick.

In einer sexuell repressiven Welt, ob muslimisch oder katholisch, in der das Entdecken der eigenen Lust unterbunden, die Pubertät abgebrochen oder in ewiger Zeitschleife gehalten wird, verbleiben erwachsene Männer in einem infantilisierten Zustand des Vor-Begehrens, gehüllt in einen Kokon der anerzogenen Scham. So kann sich die verbotene Lust nur mit Schuld gepaart artikulieren, wenn überhaupt, und das erklärt, warum sie sich oftmals in Gewalt entlädt. Die Scham über das eigene Begehren wandelt sich in Verachtung für das Objekt, das die verbotene Lust hervorbringt. Es ist nicht eigentlich der Zorn auf den weiblichen Körper oder den des Knaben, sondern auf das eigene unverstandene Begehren, der sich am anderen austobt.

Der Missbrauch und die sexuelle Gewalt in liberal-protestantischen Institutionen wie der Odenwald-Schule verweist scheinbar auf den umgekehrten Konflikt: wenn Hierarchien und Abhängigkeiten theoretisch abgelehnt werden, wenn der »reformpädagogische« Diskurs alle realen Machtverhältnisse verleugnet, dann sind die Grenzen zwischen Schülern und Lehrern, Jugendlichen und Erwachsenen nicht mehr wahrnehmbar, verschwimmt der Unterschied zwischen bewusstem, symmetrischem Begehren und dem asymmetrischen Ausnutzen und Missbrauchen des ängstlich-ahnungslosen Sehnens nach Anerkennung von dem verehrten Lehrer. Hier leugnen die Täter die eigenen Taten, weil sie das Macht- und Gewaltverhältnis leugnen. Den asymmetrischen Missbrauch, die Vergewaltigung verklären sie so zu symmetrischem Begehren.

Wer nicht weiß, wie einem geschieht, wie einem geschehen wird in der Pubertät, der begehrt unbestimmt, nicht auf etwas Konkretes hin, sondern auf das Gewollt-Werden durch den Erwachsenen, den Chorleiter, den Lehrer, die Lehrerin hin. Wer in einem Umfeld aufwächst, in dem Lehrer ihre Machtposition offiziell leugnen und inoffiziell ausnutzen, dem bietet sich in dieser eingebildeten Gleichheit und Ähnlichkeit kein Fundament für Widerstand gegen Missbrauch und Gewalt.[5]

Du liebes Kind, komm geh' mit mir!
Gar schöne Spiele spiel ich mit dir,
Manch bunte Blumen sind an dem Strand,
Meine Mutter hat manch gülden Gewand.

Mein Vater, mein Vater, und hörest du nicht,
Was Erlenkönig mir leise verspricht?
Sei ruhig, bleibe ruhig, mein Kind,
In dürren Blättern säuselt der Wind.[6]

Gilbert wurde zu einer täglichen Erscheinung, er gehörte zu unserer Welt wie die Nachrichtensendung, so unscheinbar war seine Präsenz, so normal, dass sich niemand mehr fragte, was er eigentlich in unserem Leben zu suchen hatte. Er war so vertraut wie eine Pflanze, er reparierte, er ging zur Hand, er war da. Und irgendwann lud er uns ein, ihn doch auch mal bei sich zu besuchen. Jakob, Markus, Thomas und ich spazierten bald darauf durch den Park zu Gilbert. Dass ich das einzige Mädchen in der Truppe war, fiel mir an diesem Nachmittag so wenig auf wie an allen anderen Nachmittagen meines Lebens. Er wohnte an einem Abhang, in einer gedrungenen Souterrainwohnung mit einer kleinen Balkontür zum Garten, mit Blick den Hügel hinunter. Gilbert hatte einen Plattenspieler, der von dem Gehalt eines Brötchenlieferanten eigentlich unbezahlbar war, aber vor allem hatte er eine exzeptionelle Sammlung feinster Schallplatten, und so lungerten wir auf den Matratzen-Sofas herum und hörten »Teenage Wildlife« und »It's no game« von David Bowie, die sich ärgerlicherweise auf zwei verschiedenen Seiten derselben LP befanden, so dass man die Scheibe dauernd drehen musste, um die Favoriten zu hören. Die Jungs wendeten vor Ende der Tracks auf Seite 1, gleich nach »Ashes to Ashes«, später dann schon vor »Ashes to Ashes«.

Schon bald gingen wir regelmäßig nachmittags zu Gilbert. Daran war nichts Verwegenes. Es war einfach nur ein unbeschriebener Raum, eine Zwischenwelt. Auch topographisch lag die Wohnung von Gilbert genau zwischen Schule und Zuhause. Aber Gilbert selbst hatte auch etwas Schemenhaftes, Unscharfes, das uns anzog, weil er ein Wesen war zwischen der Generation unserer Eltern und uns selbst, erwachsen und trotzdem jugendlich, ohne Erwartungen an uns, zumindest dachten wir das, ohne Zwang der autoritären Konventionen und der Normen des Kindseins. Während wir sonst, unseren Eltern gegenüber oder in der Schule, kindlicher tun mussten als wir uns fühlten, durften wir uns hier erwachsener fühlen als wir waren.

Stunden um Stunden verbrachten wir in diesem tiefliegenden Studio und hörten Musik. Gilbert machte nicht viel Aufhebens um uns, er bedrängte uns nicht, fragte uns nicht aus, wir konnten dort sein, wie wir wollten, und das zog uns an. Es entwickelte sich zur Gewohnheit, dieser Ort, an den wir gingen und der sich mehr durch das definierte, was es nicht war, wovon es sich abgrenzte, als durch das, was dort war. Wir konnten einfach sein, und Gilbert war mit uns. Nach und nach blendeten sich die Unterschiede an Erfahrung oder Wissen aus, glichen wir uns einander an, die Vertrautheit überschrieb all die Zeichen, die auf den Altersunterschied hätten hindeuten können, wie geschichtslose Wesen fügten wir uns ein oder er sich; mit der Zeit war Gilbert zu einem von uns geworden, und wir bewegten uns in den Räumen eines Erwachsenen, als gehörten sie uns. Jakob bekam einen Schlüssel, damit wir auch ohne Gilbert in die Wohnung gehen könnten, wenn uns danach war, das erschien uns nicht ungewöhnlich, irgendwann kam dann Gilbert dazu, ohne Erklärung, wie er den Tag zugebracht hatte, und gleichsam osmotisch ging seine Anwesenheit in uns über.

Willst feiner Knabe du mit mir geh'n?

Eines Tages tauchte ein Freund von Gilbert auf. Malcolm, ein britischer Künstler, bestimmt zwanzig Jahre älter als Gilbert, stets elegant gekleidet, in englischen Tweed-Jackets, wie ein kleingewachsener Sherlock Holmes. Ein solch schrilles Klischee eines englischen Homosexuellen scheint aus heutiger Sicht absurd. Es musste doch auffallen, die gesamte Ästhetik der »campen« Inszenierung, die Kleidung, die Gesten, der kleine Schnurrbart, durch den er sich immer strich, alle Codes schwulen Auftretens waren sichtbar, und doch sah niemand Malcolm als schwul. Er bot an, uns Zeichenunterricht zu geben, gegen Bezahlung, unsere Eltern stimmten zu, das schien gewiss besser als das Stromern auf den Straßen, und auf einmal, mit Malcolm, strukturierten sich die offenen Nachmittage, auf einmal gab es eine Aufgabe, wir saßen nicht mehr untätig herum, sondern zeichneten, radierten, korrigierten, nach Ansage, wie in einer Schulstunde. Gilbert war inzwischen umgezogen, in eine kleinere, aber hellere Wohnung, direkt am Fluss, wir trugen den Sand unter unseren Füßen in die Räume, manchmal wollte Gilbert uns die Schuhe ausziehen deshalb, manchmal den Sand von den blanken Füßen waschen.

Hätte es Malcolm und diese sonderbaren Zeichen-Exerzitien nicht gegeben, ich wäre vielleicht auch hineingeraten in diese Ambivalenz, in der sich Lust und Ekel mischten, Neugierde und Abneigung, vielleicht wäre ich aber auch vorher von Gilbert ausgeschlossen worden, weil mein Körper, mein Geschlecht, wie immer jugendlich oder androgyn, ihn nicht erregten. Letztlich war es schlicht meine mangelnde künstlerische Begabung, die mich hinausdrängte aus diesem Zirkel. Ich zeichnete so miserabel, dass ich schon bald die Lust verlor, und während mich vorher gerade die Unbestimmtheit der Nachmittage in Gilberts Wohnung angezogen hatte, störte mich nun die Ordnung, die einzog, die ästhetischen Vorgaben, die es, handwerklich, zu erfüllen galt, da waren sie ja wieder, die Normen, in die es sich einzuüben galt.

Ich liebe dich, mich reizt deine schöne Gestalt,
Und bist du nicht willig, so brauch ich Gewalt!

Es muss in einer der ersten Nächte gewesen sein, die sie dort zu mehreren übernachteten, und anfangs hatte es sie auch nicht überrascht, dass Gilbert zwischen ihnen schlafen wollte, er war ja einer von uns, das hatten wir alle gedacht, und das hatte vermutlich sogar er selber gedacht, vermutlich hielt er sich auch für einen Jugendlichen, für ganz ähnlich – und die Illusion zerbrach erst, als Gilbert einem der Jungen, die halb so alt waren wie er, seine Hand in den Schoß legte und die Eichel zu streicheln begann.

Ob es Gilberts wimmerndes Stöhnen war, sein unbeholfenes Gefummel, wovon ich erst Jahre später erfuhr, ob es seiner eigenen Angst vor Entdeckung oder schlicht der Tatsache geschuldet war, dass er eben keine Gewalt androhte, aber im Moment der sexuellen Annäherung löste sich die Gemeinschaft auf, alles, was vorher als gleich und ähnlich gegolten hatte, zerteilte sich, Gilbert war nicht einer von uns, er war anders, die Szene hatte ihn in all seiner gepeinigten Lust vorgeführt, keiner der Jungen begehrte ihn, die erste Neugierde über die unerwartete körperliche Berührung wandelte sich in Ekel, ganz gleich wie unerfahren wir alle damals waren, die Macht des Älteren, der diese Unerfahrenheit auszunutzen hoffte, wich augenblicklich der Ohnmacht dessen, der sich ausgeliefert hatte an Jungen, die sich in der sozialen Gewissheit mächtig wussten, der Klasseninstinkt der bürgerlichen Söhne flammte auf, in dem Moment, in dem Gilbert es gewagt hatte, einen Penis der Vorortkinder zu berühren, war das Ressentiment geweckt gegenüber einem, der nicht zu ihnen gehörte, nicht zu ihnen gehören *konnte*.

Sie sahen in Gilbert, dem nackten, fiebrig-erregten Gilbert, wieder den Boten, den Lieferanten, der den Rasen in den Gärten ihrer Eltern mähte, und als solcher wurden seine sexuellen Bemühungen abgewiesen. Gilbert wurde nicht einmal angezeigt, niemand meldete den Vorfall, nicht den Eltern, nicht der Schule, er wurde nur bespöttelt und dann ignoriert, Jugendliche, die gerade mal zu masturbieren wussten, aber noch niemals mit einer Freundin oder einem Freund geschlafen hatten, spielten in dieser Unberührbarkeit ihre Überlegenheit aus gegenüber einem Erwachsenen, der seine Deckung aufgegeben hatte. Das verziehen sie ihm noch weniger, die jungen bürgerlichen Machos, als dass er sie berührt hatte.

Was wäre wohl in einem anderen Milieu geschehen? Hätten sich Jugendliche, denen der soziale Dünkel von Mittelschichtskindern nicht zu eigen ist, zu wehren gewusst gegen die Avancen eines älteren Mannes? Es war die Arroganz ihrer Klasse, die eingeübte Herablassung, die sich als schützend erwies für diese Jungen, weil sie der psychischen Ungleichheit der Erwachsenen-Kind-Relation eine andere, mächtigere Ungleichheit gegenüberstellte.

*

Wer sich heute alte Ausgaben der »Bravo« anschaut[7], wundert sich, wie wir Kinder der Siebziger und Achtziger überhaupt jemals sexualisiert werden konnten, ob hetero oder nicht. An der Ästhetik der Bildsprache und Mode der Popikonen der Siebziger kann es jedenfalls nicht gelegen haben. Natürlich schien es damals sensationell, dass es den »Bravo«-Starschnitt von den »Village People« in 53 Einzelteilen gab, und der geölte Körper von »Felipe, dem Indianer«, der im rechten Bildvordergrund hockte und so seinen Oberschenkelmuskel spannte, einem mehr als lasziv entgegenglänzte. Aber diese leicht milchigen Abdrucke von unscharfen Bildern, auf denen wollige Jugendliche in weißen »*Schießer*«-Unterhosen abgebildet waren, waren derart schwitzig und bieder, dass es mich wundert, wie erregend wir das damals finden konnten.

Gierig stürzten wir uns im wöchentlichen Rhythmus auf die »Bravo«-Bilder-Geschichten, als seien es Pornos im Comic-

Format, und verfolgten aufgeregt und gepeinigt die Episoden, die immer zu früh endeten, immer, wenn das Pärchen endlich irgendwo in einem Keller oder auf einer Wiese eng aneinandergedrückt stand, übrigens, zumindest in meiner Erinnerung, immer, wenn der Junge seine Hand unter ihren BH oder in ihre Hose schob, aber niemals, wenn das Mädchen seine Hand in die Hose des Jungen schob. Die »Bravo« stoppte, wie ein Filmriss, kurz bevor die Lust sich richtig entladen konnte.

Kein Wunder, dass ich meinen ersten Orgasmus angezogen und im Stehen haben sollte, als ich und Dirk, der Drummer der Schulband der Nachbarschule, »The Inmates«, auf einer Fete bei ihm zu Hause, zu unserer eigenen Überraschung, übereinander herfielen. Es war, als ob ich endlich eine dieser Geschichten der »Bravo« zu Ende führen wollte, allerdings immer noch innerhalb der Logik der Erzählung, ohne miteinander zu schlafen und ohne Nacktheit, wir standen und drangen ineinander ein ohne ineinander einzudringen. Wenn ich ehrlich bin, war das unfair und asymmetrisch, ich steigerte meine Erregung, seine Steifheit reichte mir schon, um mich daran fiebrig zu reiben, wir waren beide viel zu erstaunt, als dass wir auf die Idee gekommen wären, uns auszuziehen und miteinander zu schlafen. Vielleicht wäre dann auch alles verflogen, vielleicht lag der Reiz genau in dem Wissen um das Zufällige, das Unfertige, ja beinahe im Ungewollten, für Dirk hatte ich mich nie interessiert, er war weder besonders hübsch noch richtig cool, er hatte nur diese extrem attraktive Desinteressiertheit an mir, die dazu führte, dass ich ihn begehren konnte, dass die Lust von mir ausgehen konnte, und so drängten wir uns aneinander, und auf einmal entlud sich die ganze aufgestaute, jahrelang in den Bildgeschichten abgebrochene Lust in einer langanhaltenden Erschütterung, meinem ersten Orgasmus, letztlich ein ausbeuterischer Akt gegenüber Dirk, denn kaum befriedigt, ging ich, vergnügt und verwirrt, was da eigentlich geschehen war, welche Wucht mich erfasst, auseinandergenommen und mehr oder minder schlecht wieder zusammengefügt hatte, nach Hause und ließ ihn, erhitzt und erregt, im Flur des Reihenhauses stehen.

Das hatte die »Bravo« mit ihren Foto-Lovestories vermutlich nicht ganz so beabsichtigt. Es sollte einfühlsame Aufklärung sein, für eine Generation, deren Eltern über Sexualität nicht zu sprechen wussten und die sich stattdessen Woche für Woche in Leserbriefen an die »Bravo« wandten. Daniel und ich fielen in die historische Beratungsepoche von Dr. Martin Goldstein, alias Dr. Sommer oder Dr. Korff, der sich von seiner berüchtigten Vorgängerin immerhin dadurch unterschied, dass er Sexualität von Fragen der Sittlichkeit zu entkoppeln wusste und Homosexualität nicht grundsätzlich ablehnte.[8]

Noch 1972 waren zwei Artikel in der »Bravo«, die unter der Rubrik »Die neue Serie über Liebe ohne Angst« über homosexuelle Praktiken informieren wollten, auf Antrag vom Bayerischen Staatsministerium für Arbeit und Sozialordnung indiziert worden. Die »Bundesprüfstelle für jugendgefährdende Schriften« hatte vorher verschiedene Stellungnahmen und Gutachten eingeholt, bevor sie entgegen den Empfehlungen der Gutachter im Oktober 1972 beide Hefte auf den Index setzte, weil sie »die Darstellung der sexuellen Handlungen unter Mädchen (Heft 6) und unter Jungen

(Heft 7) als ›die Desintegration der Sexualität in die gesamt-gesellschaftliche Persönlichkeit‹ ansah und damit als ›sozial-ethisch begriffsverwirrend‹«.[9]

In seiner Verteidigung der »Aufklärungsreportagen«, die unter dem Pseudonym von Dr. Korff verfasst waren, argumentierte Goldstein gegenüber der Prüfstelle, die Texte hätten rein informativen Charakter, sie dienten keineswegs der Aufforderung zu homoerotischen Praktiken, wollten lediglich ein Phänomen darstellen, das er selbst als »verlängerte homoerotische Phase« bei vielen Jugendlichen erkannte. Bemerkenswert ist, dass Goldstein sich ausdrücklich gegen die sonst übliche Form der Dämonisierung von Homosexualität wandte, der Therapeut lehnte es ab, Homosexualität zu kriminalisieren. »Es wäre Unfug, die gleichgeschlechtlichen Kräfte, die sich in jedem Menschen befinden, zu verbieten oder zu vergällen.«[10]

Wir wussten nichts von diesem Indizierungsverfahren, wussten nichts von der politischen Kultur der Zensur, aber unserer Phantasie, die die Geschichten der »Bravo« animierte oder steuerte, wurden Grenzen gesetzt. Woche für Woche tauchten in den Leserbriefen Fragen nach Homosexualität auf (»Beim Zelten griff er mir plötzlich in den Schlafsack«, »Mich beunruhigt ein Junge«), Woche für Woche wurden diese Gefühle zwar einerseits einfühlsam normalisiert, Dr. Sommer oder Dr. Korff versuchten, unserer Generation die Angst zu nehmen, Homosexuelle seien pervers oder krank, aber gleichzeitig wurden diese Empfindungen relativiert, die Lust auf das eigene Geschlecht wurde kleingeredet zu einer vorübergehenden Phase, als eine traumwandlerische Verwirrung, eine Art Experiment mit gewissem Ausgang: der Heterosexualität.

Ein typisches Beispiel: »Mein Problem ist: Ich bin schwul«, schrieb ein 13-jähriger Junge, »das ist vielleicht im ersten Moment gar nicht so schlimm. Das kommt erst noch: Ich will nämlich nicht schwul sein. Wenn ich einen nackten Jungen sehe, bekomme ich ein steifes Glied, und ich würde am liebsten onanieren. Ich möchte aber bei nackten Mädchen ein steifes Glied kriegen.« Der Junge fragt, ob er einen Arzt aufsuchen sollte, ob er medizinisch behandelbar sei. »Kann man mir helfen?«

Die Antwort von Dr. Sommer ist spektakulär: »Nur weil Du bei einem nackten Jungen ein steifes Glied kriegst, glaubst Du schwul zu sein ...«[11]

Da muss man erst einmal drauf kommen. Dem Jungen wird nicht die Angst vor seiner Lust genommen, sondern ihm wird die Lust weggedeutet. Vermutlich sollten wir dankbar sein, dass die Antwort nicht hieß: »Wie kannst Du erregt sein, wenn Du einen nackten Jungen siehst?«, vermutlich war es schon ein pädagogischer Fortschritt, dass dem Jungen nicht erklärt wurde, er gefährde mit seinem Steifen die öffentliche Ordnung.

Zu unserer Zeit auf dem Gymnasium erschien eine Geschichte mit dem Titel »Wie merkt ein Junge, dass er schwul ist?«, in der Dr. Korff auf »geheimste Fragen« eingehen sollte. Es wurde von »Frank« erzählt, der sich auf einer Fete langweilt, bis »Albrecht« sich neben ihn setzt und ihn berührt und streichelt, woraufhin »Frank« sich angstvoll fragt, ob »Albrecht« vielleicht schwul sein könnte. In seiner Antwort erklärte Dr. Korff »Frank« für einen sensiblen, ernsthaften Jungen, der keine Lust auf alberne Witze über Mädchen hat, der auch die Berührung von »Albrecht« genießt, aber »mit Schwulsein hat das nichts zu tun«.

Ich kann mich nicht erinnern, dass jemals etwas bei Jugendlichen mit Schwulsein zu tun gehabt hätte. Es gab homoerotische Praktiken, immerhin galten sie nicht als anormal, aber niemals entwickelte diese Lust eine solche Tiefe oder Kraft, dass sie sich hätten durchsetzen können als etwas Existentielles, etwas, das eingreift ins eigene Leben und es verändert.

Ich hätte gerne einmal eine umgekehrte »Bravo« produziert, eine, in der alle erotischen Entdeckungen von den Mädchen ausgehen, eine Ausgabe, in der ihre Hand in seine Hose greift, in der sie ihn leidenschaftlich gegen eine Ofentür drückt (aus reiner Gemeinheit hätte ich dann an dieser Stelle stoppen können), oder eine, in der alle Geschichten homosexuelle sind und in der es verzweifelte Leserbriefe gibt von Jungen, die beim Anblick eines Mädchens einen hochkriegen und sich besorgt an Dr. Sommer wenden mit der Frage: »Bin ich krank? Kann das behandelt werden?«, und dann könnte Dr. Sommer den Jungen beruhigen, und sagen, »Wieso glaubst Du, nur weil Du einen Steifen bekommst beim Anblick eines Mädchens, dass Du heterosexuell seist.« Und überhaupt: heterosexuelles Begehren, das gäbe es oft, das sei eine Phase, die viele durchmachten in der Pubertät, das verginge wieder.

Ich erinnere mich an die konkreten Texte aus den »Bravos«
meiner Jugend nicht. Aber ich erinnere mich, dass die »Bravo« neben dieser leicht schwitzigen Lust, immer auch Angst
verbreitete vor ungewollter »Verführung«, es konnten Leh-
rerinnen ihre Schüler »verführen«, Lastwagenfahrer tram-
pende Jungen, Mädchen andere Mädchen, wenn mich nicht
alles täuscht waren die meisten Artikel über unerwünschte
Annäherungen oder Erotik mit homosexueller Lust verbunden, ob absichtlich oder nicht, koppelte sich Pädophilie mit
Homosexualität. Nachhaltig blieb bei mir die Vorstellung,
dass Homoerotik etwas mit Bedrängtwerden zu tun haben
sollte.

Das verwischte sich mit den anderen Themen und Texten,
das blieb immer peripher, aber während die »Bravo« manche
Zonen des Verbotenen öffnete, zog sie andere Grenzen nur
mehr schärfer und konturierter nach.

*

Erwachsenwerden schien mit schlechten Gerüchen einher-
zugehen. Nicht, dass ich aus dem Wald vertrieben worden
wäre. Da stromerte ich immer noch umher. Aber die Welt
ließ sich nicht mehr nur zu Fuß entdecken wie in den ersten
Jahren am Gymnasium. Alle Erkundungen verliefen zunächst auf sandigen Wegen, am Ufer des Flusses, abseits der
Wege im Wald oder auf dem Aschenplatz der Schule beim
Fußball. Das spontane Fußballspielen wurde irgendwann
ersetzt durch organisiertes Handballspielen im Verein, mit
wöchentlichem Training in der kalt-verschwitzten Turnhalle
der Bundeswehr in einer abseits gelegenen Kaserne. Son-

derbarerweise schien das üblich gewesen zu sein. Auch die alte Turnhalle unserer Schule gehörte zur lokalen Polizeistation. Sport schien topographisch noch im polizeilich-militärischen Milieu der »Körperertüchtigung« verhaftet zu sein – auch wenn unsere links-progressiven Lehrer und Coaches, die uns trainierten, diese Assoziation zu unterwandern wussten.

Der Wendekreis der Pubertät weitete sich, geographisch, durch die Spieltermine am Wochenende, die uns kreuz und quer mit der U-Bahn zu Hallen im hinterletzten Winkel der Stadt fahren ließen. Wir trafen uns immer vor dem gerade neueröffneten *Burger King* am Bahnhof im Ort, fuhren von dort aus als ganze Mannschaft los, und später, wenn wir zurückkehrten vom Spiel, gingen wir, ob wir gewonnen oder verloren hatten, noch zusammen Hamburger essen.

Die Welt weitete sich aber auch sozial, weil die Mädchen aus unserem Handballteam fast alle von anderen Schulen kamen, Gymnasiastinnen waren in der Minderzahl, pubertäre Spätzügler, »Halbreiflinge« wie ich auch. Die Mädchen in meinem Team waren alle etwas kräftiger als ich. Von den größeren Brüsten mal ganz zu schweigen. Sie kamen aus demselben Stadtteil, aber aus einer anderen Welt. Wir wohnten wenige Straßenzüge voneinander entfernt, aber wir waren uns nicht begegnet, wir wussten nichts voneinander.

Es gab nicht nur soziale Zonen, sondern auch eine Ordnung des Raums, die sich nach der Hierarchie der Bildungseinrichtungen gliederte. Schüler aus Realschulen und Schüler

aus Gymnasien begegneten sich nicht, es gab keine Schnittmengen, und aufmerksame Gymnasiasten-Eltern sorgten
frühzeitig dafür, dass die Mechanik der Abgrenzung auch
funktionierte. Das war der unausgesprochene Grund für
die Tennisstunden, den Ballettunterricht oder den Reit-
lehrer, die organisiert wurden, es war eine Investition in den
Klassenerhalt, mit dem, was als Freizeit oder Hobby so un-
schuldig klingend daherkam, reproduzierte sich ein Milieu.
Beim teureren Einzelsport war die Wahrscheinlichkeit der
Mischung mit Kindern anderer Herkunft schlicht geringer.
Beim Handball hingegen kam das, was sonst tagsüber ordentlich geschieden war und was sich im Alltag des Ortes
auch kaum begegnete, zusammen.

Ich weiß nicht, ob es schon das Begehren war, das mich zum
Handball trieb, oder welche Art von Begehren, ich weiß
nicht, ob mir die Welt dort nur weniger geregelt erschien
und mich das anzog: die unnormierte Welt, oder ob mir die
Mädchen gefielen, die so ganz anders feminin waren, als das
um mich herum schicklich war. Weder über das eine noch
über das andere hätte ich zu sprechen gewusst.

Ich fühlte mich einfach wohl dort, alles, auch der Sport
selbst, schien körperbetonter, direkter, gröber zu sein, ich
mochte die Schlichtheit des Spiels, die lederne Schwere
des Balls war mir lieber als diese fusselige Leichtigkeit eines grellgelben Tennisballs, es gab keine Clubhäuser, keine
holzvertäfelten Bars, an denen verklettete Familien zusam-
menfanden, es gab nur Handball. Was zählte, war nur, wie
ich spielte. Und ich spielte zunächst einmal schlecht.

Ich war etwas jünger und schmaler als die anderen. Auf dem Gymnasium war diese Erfahrung nicht zu machen. Wir waren gleich alt und ich gehörte zu den leidenschaftlich athletischen Kindern, zumindest was jede Variante von Ballspielen betraf. In der Klasse gab es eine eingeübte Hierarchie aus sozialen, ästhetischen und athletischen Kriterien, die sich wortlos herausgebildet hatte und die sich in demütigenden Ritualen stetig neu etablierte: beim Auswählen in Mannschaften beim Sport oder beim Einladen zu Feten.

Wer sportlich war wie ich, konnte Hohn und Spott auch über Jahre hinweg meiden, weil es keine großen Altersunterschiede gab und auch die Pubertät nicht so unterschiedlich griff, dass sich die Hierarchie dauernd verschoben hätte. Beim Handball im Verein war das anders. Ich erntete zwar im ersten Jahr, in dem die anderen alle kräftiger waren als ich, keinen Spott, aber auch keinen Respekt. Es brauchte eine Saison, es brauchte den Weggang der Älteren in die nächsthöhere Spielklasse, bis ich ernst genommen wurde, es brauchte diese eine Saison, um zu begreifen, wie demütigend es sich anfühlte, hilflos am Rand einer Gruppe gefangen zu sein.

Ist mir damals schon aufgefallen, dass ich anders begehre? Wäre das möglich gewesen, gleichzeitig das eigene Wollen zu entdecken und zu entdecken, dass es etwas anders begehrt als die anderen? Wie ist das Begehren überhaupt zu entdecken? Gibt es einen inneren Kern der Lust, der danach drängt, sich auszudrücken, der nach einer Form sucht? Entsteht Begehren, bildet es sich heraus, wird konkreter, präziser in der Lust, abhängig von dem, was uns widerfährt, wird das Begehren erst geformt in und durch Erfahrung, braucht die Phantasie das Wissen von dem, was möglich wäre, oder speist sie sich aus sich selbst?

Fing ich an, Handball zu spielen, weil mich das Milieu der anderen anzog? Oder begann ich erst diese Welt zu mögen, nachdem sie mir durch den Sport vertraut wurde? War das, was mich dort wohl fühlen ließ, schon vorhanden, oder bildete sich die Nähe mit der Erfahrung aus?

Mich interessiert nicht, warum ich homosexuell bin, ob mein Begehren als genetisch vorgegeben oder sozial konditioniert gilt. Wofür sollte das bedeutsam sein? Was macht das für einen Unterschied? Mich interessiert, wie das Begehren auftaucht, bei mir, aber auch bei anderen, wie ich dessen gewahr wurde, wie es sich entwickelte, eine Sprache fand, einen Ausdruck in mir und für mich, und wie sich in dieser Sprache ein immer größeres Vokabular, immer komplexere Strukturen ausgebildet haben, ein Vokabular, in dem ich mich genauer, zarter, radikaler artikulieren kann.

Nachträglich deuten wir oft alles Frühere auf den Fluchtpunkt des Heute hin, wir dichten den eigenen Neigungen, der eigenen Sexualität eine Stringenz an, die sich durch das Leben ziehen soll, damit wir uns logisch erscheinen in unserem Gewordensein. Intellektuelle haben als Kinder angeblich schon Kafka und Spinoza verschlungen, Talkshow-Master haben als Pubertierende schon vor dem Fernsehapparat Sendungen imitiert, Politiker schon immer Führungsqualitäten gezeigt, und Homosexuelle – Homosexuelle müssen als Kinder schon quer gespielt haben: Mädchen spielen Fußball oder Schlagzeug, Jungs tanzen oder verlieren sich in Büchern.

Das normierte Klischee grenzt nicht nur aus, sondern auch ein, die Kategorien, in denen Lebensweisen narrativ erklärt werden sollen, zwingen nicht nur die Mehrheiten in geradlinige, homogene Geschichten, sondern auch Minderheiten, vielleicht *gerade* die. Weil die Abweichung eine einleuchtende Erklärung braucht, einen Grund, eine Geschichte ohne Ambivalenz und Widersprüche. Und so werden die Erzählungen des Begehrens gern eingeebnet, werden rückwirkend zu einer linearen Entwicklung erklärt, wird der Lust all ihre lustvolle Uneindeutigkeit genommen. Dass ich Handball spielte, scheint nachträglich immer einleuchtender zu sein als dass ich klassische Musik liebte, dass ich mich die ganzen ersten Jahre immer in Männer verliebte, noch dazu glücklich, wischt sich aus der späteren Perspektive von außen leicht aus.

*

Die Bilder verrutschen. Als ob ich auf einem Negativstreifen Abfolgen von Fotos verschiedener Erlebnisse oder Reisen entdeckte, Bilder, die nicht aus derselben Zeit stammen. Früher passierte mir das manchmal, wenn ich die Spiegelreflexkamera mit einem eingelegten Film lange nicht benutzt und bereits vergessen hatte, was für Aufnahmen es darin noch gab, und erst beim Entwickeln im Labor, wenn der Streifen trocknete, auf einmal diese längst verloren geglaubten oder vergessenen Augenblicke auf den Bildern wieder auftauchten, und Erfahrungen zusammenfügten, auf der Filmrolle, die eigentlich nicht aneinanderschlossen, auf einmal Bezüge zwischen Bildern einer zeitlichen Reihe mit viel später aufgenommenen Bildern in Zusammenhang gedacht werden konnten.

So verschieben sich auch die Bilder von früher, von Daniel oder mir, und verknüpfen sich mit Bildern von heute, wandert der Blick zwischen Zeiten und Orten, der Stadt, in der wir aufwuchsen, mit den Landschaften, durch die ich heute reise, das von Schweigen belegte Begehren von uns damals und das anderer heute, in der Bruchstelle zwischen den Aufnahmen: das Schreiben.

Eine Freundin hatte mir einen jungen Studenten als Übersetzer empfohlen, er spreche hervorragend Englisch, hatte sie gesagt, sie kenne die Familie seit langem, als ob das für mich wichtig wäre, wenn doch schließlich er für mich arabische Gespräche ins Englische übertragen sollte, und nicht seine Großmutter, aber vermutlich würde dies unsere Sicherheit erhöhen, sollten wir uns in Gefahr begeben, eine bekannte Familie, das bedeutete immer auch ein Kreis aus Verbündeten, den wir brauchen könnten.

Und da stand er nun vor uns, Ibrahim, und wir schauten fassungslos auf diese Erscheinung, als sei er eine Fata Morgana, die sich gleich in gestaltloses Flirren auflösen würde: Ibrahim trug eine Jeans, einen strahlend weißen, puffigen Daunen-Anorak und eine überdimensionale Sonnenbrille, die George Michael bei seinen Konzerten in den Achtzigern hätte tragen können. Ibrahim lud uns ein, mit ihm am Tisch des Hotels, wo wir uns verabredet hatten, einen Tee zu trinken, er setzte sich, behutsam, nur auf die vordere Kante des Stuhls, als könnte ihm der Platz gleich wieder entzogen werden.

Schon bei den ersten Sätzen zur Begrüßung, bei den ersten Antworten auf unsere Fragen, ob er auch von morgens bis nachts zur Verfügung stünde, ob er Probleme damit hätte, nicht nur *Hamas*- wie *Fatah*-Anhänger, sondern vor allem diejenigen, die beide Gruppen gleichermaßen ablehnten, zu übersetzen, als Ibrahim mit aufgeregter Stimme und unaufgeregtem, tadellosem Englisch sprach, war klar, was nicht klar sein durfte: Ibrahim war schwul, ein Schwuler in Gaza.

Es war wunderbar, mit Ibrahim zu arbeiten, er war ein einfühlsamer Mensch und feiner Übersetzer, mit großem Gespür für die verschiedenen Sprachen und Ausdrucksformen unserer Gegenüber, vom Familienvater, dessen Tochter durch israelischen Panzerbeschuss getötet wurde, bis zum militanten *Islamic Jihad*-Anhänger, der seine Raketen in fremden Gärten deponierte, um von dort aus per Zeitzünder israelische Bewohner in Ashdod zu treffen, von schüchternen Krankenschwestern bis zu lustvollen Hochzeitsmusikern. Tag und Nacht begleitete uns Ibrahim, und wie er sich so zwischen allen sozialen Gruppen und Konfliktlinien seiner eigenen Gesellschaft bewegte, wie er sie uns erläuterte, immer ein bisschen zu aufgeregt, da klang es, als gehöre er nicht dazu zu dieser Gesellschaft.

Wie sollten wir ihn ansprechen? Wie ihn fragen? Alles an ihm musste Aufsehen erregen in dieser Gegend: seine Kleidung, seine Gesten, seine Sanftheit. Ibrahim zitierte Codes, von denen wir nicht wussten, ob er sie kannte. In Gaza gibt es keine öffentlichen Theater, keine Kinos, keine Konzerte, es gibt öffentliche Musik vornehmlich auf Hochzeiten oder Beerdigungen. Die von der Sonne ausgebleichten DVDs, die von Straßenhändlern in Raubkopien auf dem Markt in Gaza-Stadt verkauft werden, sind allzu oft amerikanische Kriegsfilme, im Fernsehen laufen syrische oder türkische Soapoperas. Und auch die meist nur mit Unterbrechungen, weil der Strom in Gaza in Schichten von acht Stunden funktioniert, dann liegt alles für acht Stunden lahm, dann verfügt über Elektrizität nur, wer sich einen Generator leisten kann. Wenn sich Mädchen oder junge Frauen mit Männern verabreden wollen, vor der Hochzeit, dürfen sie nicht allein sein, eine Schwester oder ein Cousin müssen sie begleiten, viele heimliche Paare gehen deswegen in Internetcafés, da sitzen sie dann nebeneinander, an verschiedenen Computern, und chatten. Anders können sie sich nicht kennenlernen, nicht reden oder flirten.[12]

Vielleicht wusste Ibrahim nicht, wie er wirkte? Woher sollte er das auch wissen? Aber musste er nicht zumindest bemerken, dass er anders aussah, sich anders gab als alle anderen jungen Männer um ihn herum? Wie konnte das sein? Wusste er nicht, wie schwul er sich gab? War er überhaupt schwul? Wie konnten wir uns da so sicher sein? Waren das nicht unsererseits banale Zuschreibungen und Klischees? Nur weil einer sich bewegt wie Albin in *La Cage aux Folles*, muss er ja nicht schwul sein. Wie fahrlässig war es überhaupt, unsere ästhetischen Codes so einfach zu übertragen, all die Signale, die doch auch bei uns immer wieder unterwandert und neu verhandelt werden, warum legten wir sie hier, in Gaza, so hemmungslos schlicht an?

Die Bilder verschieben sich.

War ich damals wirklich so anders als Ibrahim heute? Wirkte ich vielleicht auf andere so eindeutig, wie ich mir selbst nie vorkam? Erschien ich vielleicht den anderen als ein typischer *tom-boy*? Erfüllte nicht auch ich schon damals alles, was es brauchte, war nicht auch ich dauernd quer zu dem, was von Mädchen in meinem Alter erwartet wurde, war ich nicht ständig widerständig und daneben, fühlte ich mich nicht auch deswegen so wohl beim Handball?

Wie ähnlich war meine Unwissenheit damals der von Ibrahim heute im Gazastreifen?

Der Unterschied bestand darin, dass meine Homosexualität, ob bewusst oder nicht, ausgelebt oder nicht, mich nicht gefährdete. Homosexualität in Gaza dagegen gilt als Sünde, als Vergehen, und sicher leben kann nur, wer sie heimlich lebt.[13] Weil die Grenzen geschlossen sind, kann niemand, der nicht einen ausländischen Pass besitzt oder von den Israelis die selten erteilte Genehmigung zur Ausreise erhält (für einen dringend notwendigen Krankenhausbesuch oder, manchmal, für ein Studium), einfach fliehen. Das Exil für homosexuelle Palästinenser in Gaza ist, notgedrungen, ein inneres.

Ob er sich dessen bewusst war, wie er auftrat, oder nicht, es war riskant. Oder konnte es sein, dass nur wir das sahen? War das Tabu zum Opfer seiner selbst geworden: Wurde Homosexualität derart unterdrückt, dass *Hamas* es nicht einmal erkannte, wenn ein Schwuler vor ihnen stand? Wenn über Homosexualität nicht gesprochen werden darf, dann darf auch nicht gesprochen werden über das, was Homosexualität ausmacht.

Eigentümlicherweise erschwerte sich die Frage nach Ibrahim dadurch, dass homosexuelle Praktiken in Gaza, wie auch in anderen repressiven (muslimischen oder nichtmuslimischen) Gesellschaften durchaus üblich sind: als Ersatz für verbotenen vorehelichen Sex mit Frauen. Weil heterosexueller Sex, vor oder ausserhalb der Ehe, unmöglich ist, praktizieren Männer oftmals homosexuellen Sex, stillschweigend, ohne dass je einer den anderen für schwul hielt, hätte halten dürfen. So begünstigt ein tabuisierter Sex den anderen.

Sollten wir ihn warnen? Sollten wir ihm sagen, wie er wirkte? Die erste Reise ging zu Ende, und wir sagten nichts. Falls er keine Ahnung hatte von seinem Begehren, wie würde unsere Frage ihn dann irritieren? Was lösten wir damit in ihm aus? Wir würden wieder abreisen und ihn allein lassen mit einer Spur, der er allein, in Gaza, nicht nachgehen konnte, ohne sich selbst zu gefährden. Ohnehin schien mir noch *jede* Frage, *jedes* Gespräch über Sexualität zu intim, nicht nur, weil wir uns nicht gut genug kannten, als dass ich ihn nach seiner Lust hätte fragen können, sondern weil es insgesamt schamlos schien, über etwas zu sprechen, über das hier niemand sprach.

Immerhin traute sich Ibrahim, uns um einen Gefallen zu bitten: Ob wir ein Geschenk für einen Freund im Westjordanland mitnehmen könnten. Der Gazastreifen war nach wie vor abgeriegelt, Ibrahim war eingeschlossen auf diesen 42 Kilometern. Durch den Hochsicherheits-Terminal von Eretz, den einzigen Grenzübergang zu Israel, durfte er nicht. Und so gab er uns einen kleinen Becher mit einem palästinensischen Aufdruck und ein T-Shirt mit für »einen Freund«, der in Ramallah lebte. Das konnte alles und nichts bedeuten – aber wir, beschämt, dass uns erlaubt war, was er sich sehnlichst wünschte, auszureisen, waren froh, dass wir das Päckchen mitnehmen konnten. (»Haben Sie in Ihrem Gepäck irgendetwas, das Fremde Ihnen mitgegeben haben, als Geschenk vielleicht?«, lautet die übliche Frage der israelischen Beamten bei der Ausreise: »Nein.«)

Bei unserer zweiten Reise dann trafen wir Ibrahim erneut. Wieder drängte es uns, mit ihm zu sprechen. Nach einigen Tagen, wir fuhren im Taxi, wie meistens lehnte sich Ibrahim während der Fahrt vom Vordersitz zu uns nach hinten um, fragte ich, ob es eigentlich Homosexuelle gäbe im Gazastreifen, ich bemühte mich, es so belanglos wie möglich klingen zu lassen, nebensächlich, allein typisch journalistischer Neugier geschuldet, so wie mich das Material der Saiten einer arabischen Laute, der *oud*, interessiert oder die Arbeit der traditionellen Heiratsvermittler. Ibrahim zuckte kurz, er sprach etwas leiser, als ob unser Fahrer Englisch verstünde, und sagte tonlos: Seltsam, danach habe ihn neulich auch ein holländischer Journalist gefragt, es gäbe eine internationale NGO, die befasse sich mit solchen Fällen, aber Genaues wisse er auch nicht. Das war's. Kein Hinweis auf seine eigene Lage oder zumindest darauf, dass er wusste, wie andere Menschen hier ihr Begehren lebten. Nichts.

Vielleicht irrten wir uns?

Es gab bei diesem zweiten Besuch noch eine unvergessliche Szene. Wir hatten Ibrahim gebeten, uns doch mit jungen Frauen zusammenzubringen, Studentinnen, mit denen wir über ihr Leben in Gaza sprechen könnten, am liebsten mehrere, damit es ihnen leichter fiele zu sprechen. Wir wollten hören, wie sich junge Frauen ihr Leben ausmalen, bevor andere über ihr Leben entscheiden und sie verheiratet werden. Ibrahim sagte, das sei kein Problem, er würde Freundinnen fragen, und wenig später trafen wir eine Gruppe von sechs jungen Frauen zwischen 19 und 23, Studentinnen alle, verschleiert die meisten, unverschleiert eine, die einen spanischen Pass besaß und bald würde ausreisen können, sie waren offen und fröhlich und erzählten von sich und einem Leben, gelebt in den Lücken, den Bruchstellen eines Systems, das sie überall beschränkte. Sie erzählten, sie könnten immer nur als Gruppe ausgehen, aber nie einen Jungen allein treffen, Begegnungen mit jungen Männern seien normiert und sanktioniert, geduldet, nur funktional, im Hinblick auf eine Ehe, der statische Horizont eines jeden weiblichen Lebens hier.

Das alles erzählten sie, und Ibrahim saß dabei. Irgendwann fragte ich, wie sie denn dann mit Ibrahim befreundet sein könnten, der sei ja schließlich auch ein Mann. Die jungen Frauen lachten, als habe ich eine besonders läppische Frage gestellt, sie stockten nicht einmal bei der Antwort: Ibrahim? Ja, Ibrahim sei doch etwas anderes. Das sei kein Problem.

Was genau »anderes« Ibrahim war, sprach keine aus.

Die ganze Reise über sprachen wir nicht davon. Tagsüber recherchierten wir unsere jeweilige Geschichte, fuhren kreuz und quer durch den Gazastreifen, von den Flüchtlingslagern im Norden bis zu den illegalen Tunneln, die nach Ägypten führen, im Süden, meist kamen wir erst abends spät zurück ins Hotel und saßen dann noch auf der Terrasse bei einem gezuckerten Tee mit Minze und redeten über das Erlebte. Manchmal sprachen wir auch von unserem Leben draußen, außerhalb, jenseits der Grenzen des Gazastreifens.

An einem dieser Abende erzählte ich Ibrahim, dass ich homosexuell sei. Ibrahim nahm das zur Kenntnis, so als hätte ich gesagt, ich liebe Rap, er freute sich, etwas von mir zu erfahren, fragte aber auch nicht nach. Weder wollte er wissen, wie das war: eine Frau zu lieben, noch ob das bedrohlich war, da, wo ich lebte.

Unsere dritte Reise schließlich war besonders: Die israelische Armee hatte eine Militäroffensive in Gaza begonnen, um auf den regelmäßigen Raketenbeschuss aus Gaza zu reagieren, eine weitere Eskalation im Zirkel der Gewalt. Mehr als zwei Wochen lang versuchten wir, von Israel aus einzureisen während der Krieg andauerte, aber die gesamte internationale Presse durfte den israelischen Grenzposten Eretz nicht passieren und musste warten, bis auch der letzte israelische Panzer den Gazastreifen verlassen hatte. Wir kamen nach Gaza erst, als alles vorbei war.

Ibrahim hatte überlebt. Er war unrasiert und sprach noch schneller als sonst. Manches ergab keinen Sinn, es waren Fetzen von Sätzen, Worte hingen wie lose Fäden heraus, die erst später wiederaufgenommen wurden, er sprach mehr zu sich selbst als zu uns, als müsse er dem ganzen Schrecken des Krieges erst einmal eine Ordnung geben, bevor er anderen davon Bericht erstatten konnte, er freute sich sichtlich, uns zu sehen, er sagte das auch mehrmals, schon im Wagen, direkt hinter der Grenze, wo er uns abholte, wie immer.

Er wollte uns zeigen, was der Krieg angerichtet hatte, wir sollten alles genau recherchieren, in den Krankenhäusern, im Flüchtlingslager von Jabaliya, vorher wollten wir nur einen *chai* mit Minze trinken. Wir saßen allein, nur Ibrahim und ich, er trug wie immer seinen weißen Anorak und einen Schal, er wirkte rau und nackt, als hätte ihm der Krieg die Haut vom Leib gezogen, als läge das Innere bloß, und da sagte er auf einmal: »Ich bin schwul.«

Er sagte das ansatzlos, ohne Frage, ohne Erklärung, wann er das entdeckt habe oder warum er es auf einmal aussprechen wollte. Das brauchte er auch nicht. Ich konnte mir vorstellen, was er in den letzten Tagen des Krieges gesehen hatte, wie nichtig alles geworden war, wie willkürlich, zufällig, qualvoll auch das Sterben, wie absurd mitunter das Überleben, als sei es nebensächlich, das Leben, ich konnte mir vorstellen, wie er, mit der typischen Zeitverzögerung, sich zu fürchten gelernt hatte, immer erst, wenn die Gefahr vorüber war, jene Furcht, die nicht zittern macht, sondern steif, die nicht heiß, sondern eiskalt daherkommt, wie der Schweiß, der das Hemd durchtränkt, ich konnte es mir ausmalen, weil ich wusste, aus zahllosen anderen Kriegen, wie jeden Tag etwas stirbt, erst Nachbarn und Bekannte, dann die Vertrautheit der Umgebung, die Gebäude, deren Stockwerke aufeinandergekracht, wie die Böden einer Schichttorte aneinanderkleben, ohne Raum dazwischen, die Orangenhaine, durch die Ibrahim früher spazieren konnte, verschwunden, zerschossen, zerbombt, zerrissen von Panzerfahrzeugen, denn, so die Logik des Militärs, hinter Orangen- oder Olivenbäumen könnten sich schließlich Abschussrampen für Raketen befinden, wo vorher grün-orange Landschaften waren, stakten nur noch schwarz-knöcherne Wurzeln ausgebrannter Haine hervor, ich konnte mir ausmalen, wie viele Kinder er abgelenkt hatte von ihrem Schmerz, wenn sie im Krankenhaus beim Verbandswechsel ihre eigene Haut in Fetzen herunterfallen sahen, ich konnte mir den ohrenbetäubenden Lärm der Luftbombardements vorstellen, weil alle anderen Überlebenden nun, da es vorbei war, vor allem von der Stille sprachen, die sie kaum glauben könnten.

Was machte es da noch, sich zu outen?

»Ich bin schwul«, sagte Ibrahim noch einmal, als wollte er selbst hören, wie es klang, das zu sagen. »Ich weiß, Ibrahim.« Er schaute mich verwundert aus müden Augen an. Wie konnte jemand anders etwas wissen, was er selbst nicht gewusst hatte, schien er fragen zu wollen und schwieg, er saß wieder nur auf der Kante des Sessels, als er sagte: »Ich habe das noch nie jemandem erzählt.«

Hamas hatte ihn mitten im Krieg festgehalten und verhört. Es ließ sich nicht klären, was *Hamas* wusste, ob es überhaupt wirklich *Hamas* war, was genau die Anschuldigung war. Taktische Ungenauigkeit gehört zum Handwerk totalitärer Regime, vage, weiße Flächen der Sprache, in denen sich die Angst verlieren kann, das hat Methode, das formt das rhetorische Repertoire der Gewalt, ungenaue Vorwürfe, ungenaue Anklagen, das nutzen Folterer, um Schrecken zu verbreiten, gegen Ungenauigkeit lässt sich nicht gut wehren, »Verhöre« heißt euphemistisch, wo es selten etwas zu hören gibt außer Gestammel und Schreien. »Kollaboration mit dem israelischen Feind«, hatten sie Ibrahim vorgeworfen, das war die Standard-Formulierung, Ibrahim war in Verdacht geraten, ob durch seine Andersartigkeit, durch seine politischen Ansichten, durch seine Arbeit mit internationalen Journalisten oder durch sein Auftreten. Das blieb unkonkret. Konkret war allein die Angst, die dies in Ibrahim hinterließ.

Ibrahim heißt nicht Ibrahim. Er ist inzwischen aus Gaza in ein europäisches Land geflohen, das bereit war, ihm alle nötigen Papiere für eine legale Ausreise auszustellen. Ein Jahr lang hat er, zusammengepfercht mit anderen Flüchtlingen aus anderen Teilen der Welt, in einem Asylbewerberheim auf Antwort auf seinen Antrag gewartet. Seine Familie in Gaza weiß nicht, warum Ibrahim geflohen ist, sie wissen nichts von seiner Sexualität, sie ahnen nicht, dass das, was in Gaza als Verbrechen gilt, in Europa der Grund für sein Bleiberecht und schließlich das Asyl ist: Homosexualität.

Wir schreiben uns noch.

In der Stadt, in der Ibrahim nun lebt, ist er neulich das erste Mal in eine Schwulen-Bar gegangen. Ich nahm an, es müsse ihn beglücken zu sehen, wie selbstverständlich das ist und wie leicht, ich dachte, es müsse ihn freuen, endlich sich ausdrücken zu können, ohne Angst, ich dachte, es wäre schön für ihn, anderen zu begegnen, zu entdecken, dass es eine ganze *community* gibt, dass Homosexualität kein Leben in Einsamkeit bedeutet, dass es andere Arten von Familiarität, von Gemeinschaft, von Heimat gibt.

Doch Ibrahim war entsetzt. Es sei oberflächlich, indiskret, die offensive Lust, all die Komplimente, die die Männer ihm machten, ohne ihn zu kennen, Ibrahim schauderte, das war gewiss Freiheit, er war froh, sich seiner Homosexualität nicht schämen zu müssen, aber musste sie deswegen gleich schamlos sein? Da saß er nun, anerkannt als Flüchtling in Europa, frei, sein Begehren zu leben, aber die Einsamkeit hatte sich nicht gelegt, das Glück war nahbar, aber gehörte ihm nicht.

Er lebt im Hinterzimmer eines Ladengeschäfts, einem Raum, den er sich mit einem anderen Neuankömmling teilt, manchmal, schrieb Ibrahim neulich, möchte er mit jemandem reden, der beides kennt, Gaza und die Person, die er damals war, und diese europäische Metropole und das Leben, das sie Homosexuellen bietet.

Der Wechsel des Ortes hat auch die Perspektive gewechselt auf das, was Ibrahim als Ablehnung empfindet, als das, was er verbergen muss, weil es als anders und bedrohlich gelten könnte: Früher in Gaza war es seine Homosexualität, die ihn als fremd markierte, heute, in Europa, ist es seine Herkunft, als Araber in Europa, gläubig oder nicht so gläubig, erlebt Ibrahim, ein muslimischer Homosexueller nun, wie willkürlich es sein kann, wie wechselvoll, als was man wahrgenommen wird und was als anstößig gilt.

*

Das statistische Jahrbuch der BRD verzeichnet für 1967, das Jahr, in dem Daniel und ich geboren wurden, 2261 Männer, die nach § 175 des Strafgesetzbuchs wegen ihrer Homosexualität verurteilt wurden.[14]

Ich musste das nachlesen. Ich gehöre zu der Generation, die sich selbst als »queer« versteht und die es sich leisten konnte, das politisch für beinahe selbstverständlich zu halten, nur war (und ist) es eben nie selbstverständlich gewesen, sonst würde mich der Tod von Daniel nicht so bedrängen, sonst würde ich nicht jetzt, so viele Jahre nach unserer gemeinsamen Zeit am Gymnasium, darüber nachdenken, was die Bedingungen der Möglichkeit des Begehrens sind, warum niemand sehen wollte, was Daniel umtrieb, warum es niemand sehen konnte, vielleicht, wenn ich nicht einmal erkennen konnte, was mich selbst umtrieb, sonst würde ich nicht auf allen meinen Reisen Menschen mit derselben Not erleben wie die, die uns damals auszeichnete.

Und ich musste nachlesen, zögernd, ein wenig ungläubig auch, wie unendlich langsam sich die Reform des Sexualstrafrechts in Westdeutschland vollzog, weil sich die politische Klasse den wissenschaftlichen Empfehlungen von Psychologen und Juristen, Homosexualität zu legalisieren, widersetzte und wie sich dadurch die nationalsozialistische Ideologie noch jahrzehntelang fortschrieb.

Obgleich die Justiz der neugegründeten Bundesrepublik sich 1949 verpflichtet hatte, nur Gesetze aus der Zeit des Nationalsozialismus zu übernehmen, soweit sie dem neuen Grundgesetz nicht widersprachen, galt mit Hinblick auf das Sexualstrafrecht die faschistische Tradition fort, in der Homosexualität als »Unzucht« kriminalisiert wurde. In der Verschärfung des seit 1872 bestehenden Paragraphen hatten die Nationalsozialisten 1935 bereits die »subjektiv wollüstige Absicht« eines Mannes, der einen anderen begehrt, unter Strafe gestellt. Demnach brauchte es nicht mehr »beischlafähnliche Handlungen«, was immer das heißen sollte, es brauchte nicht einmal mehr eine Berührung, sondern es genügte, wenn das allgemeine Schamgefühl verletzt wurde. Was das genau bedeuten sollte oder wann das Schamgefühl verletzt wurde, blieb willkürlich bestimmbar. Das Verbot der Homosexualität wurde mit biopolitischer Rhetorik gerechtfertigt: Ideologische Konzepte von hygienischer und moralischer Reinheit mischten sich, die »sittliche Gesunderhaltung des Volkes« verlangte den Schutz vor der »seuchenartigen Ausbreitung« der Homosexualität.[15]

Diese Vorstellung der Homosexualität als »Seuche«, als »Krankheit«, die sich »epidemisch« ausbreiten könnte, hat mich immer erstaunt. Woraus speist sich eine solche Phantasie? Wie soll die »Ansteckung« funktionieren? Durch Anschauung? Wer dem Anblick von Schwulen ausgesetzt wird, der wird selbst schwul? Durch Tröpfchen-Übertragung? Durch Sex?

Wieso sollten sich Heterosexuelle verführen lassen? Und wieso gingen die Gesetzgeber davon aus, dass es nicht bei der Anschauung oder einem einmaligen Ausprobieren bliebe? Warum sollte sich eine einmalige sexuelle Erfahrung zu einer Umdeutung der eigenen Sexualität auswachsen? Was sagt das über das heterosexuelle Selbstbild aus: Wie unsicher muss das Gefühl der eigenen sexuellen Orientierung sein, wenn sie sich so schnell anstecken lässt von der Homosexualität? Wie verletzlich wäre, um in dem Begriffsfeld von »Krankheit« und »Gesundheit« zu bleiben, das heterosexuelle »Immunsystem«?

Man muss sich diese Phantasie nur einmal umgekehrt ausmalen: dass Homosexuelle Angst davor hätten, sie würden dem Anblick oder der Wollust heterosexueller Menschen ausgesetzt und dadurch nachhaltig geprägt, verformt, verändert.

Die Angst vor einer »epidemischen« Ausbreitung der Homosexualität zieht sich nicht nur durch die verschiedenen Argumente der Strafrechtsreformgegner, die den Paragraphen 175 bis in die neunziger Jahre aufrechterhielten, sondern sie zieht sich auch implizit durch Gesetze wie die bis zum Jahr 2010 wirksame »*Don't ask, don't tell*«-Politik der amerikanischen Armee, nach der homosexuelle Soldaten zwar in den amerikanischen Streitkräften dienen und in den Krieg ziehen durften, aber nicht *aussprechen* durften, dass sie homosexuell waren. Der Sprechakt allein bedeutete Gefährdung, nicht die Anwesenheit von Schwulen in der Armee, nicht deren gelebte Sexualität, sondern die Vorstellung, dass sie es aussprechen könnten, dass das, was alle ahnen oder wissen, auch einen Namen bekommen könnte, dass es wahr werden könnte, verbarg sich hinter dieser Anordnung.

Es ist das umgekehrte »Rumpelstilzchen«-Prinzip: während in der ursprünglichen Erzählung das Ding seine Bedrohlichkeit verliert, wenn man ihm einen Namen geben kann, ist es bei der »*Don't ask, don't tell*«-Politik nur das Unwissen, das Nichtbenennen, die Abwesenheit des Namens, die beruhigen und den Status quo erhalten soll. Die Sexualität selbst ist nicht besorgniserregend, sondern die unverborgene, explizite Sexualität, die ausgesprochene Wahrheit ist das, was Unruhe stiftet, die Lüge und das Schweigen hingegen gelten in dieser Logik als stabilisierend.[16]

Die ideologische Angst vor der Ausbreitung der »Krankheit« Homosexualität in Verbindung mit der aus dem Nationalsozialismus übernommenen Vorstellung »vom gesunden Volkskörper« hielt sich in der Bundesrepublik und wurde regelmäßig in neuen Urteilen reproduziert. So zeigt sich die biopolitische Terminologie noch in einem Regierungsentwurf eines Strafgesetzes unter Konrad Adenauer im Jahr 1962. Darin heißt es: »Ausgeprägter als in anderen Bereichen hat die Rechtsordnung gegenüber der männlichen Homosexualität die Aufgabe, durch die sittenbildende Kraft des Strafgesetzes einen Damm gegen die Ausbreitung eines lasterhaften Treibens zu errichten, das, wenn es um sich griffe, eine schwere Gefahr für eine gesunde und natürliche Lebensordnung im Volke bedeuten würde.«[17] Wie leichthändig die Juristen noch mit faschistischen Begriffen operierten, zeigt sich in der nachfolgenden Passage aus derselben Vorlage: »Wo die gleichgeschlechtliche Unzucht um sich gegriffen und großen Umfang angenommen hat, war die Entartung des Volkes und der Verfall seiner sittlichen Kraft die Folge.«[18]

Mit dem 1. Strafrechtsreform-Gesetz von 1969 unter der großen Koalition von Kurt Kiesinger blieb der Paragraph 175 zwar bestehen, aber das Totalverbot der Homosexualität wurde aufgehoben. Unter »Unzucht zwischen Männern« wurden nun nur noch sogenannte qualifizierte Fälle mit Freiheitsstrafen bis zu fünf Jahren belegt. Dazu zählte, wenn ein Mann Sex mit einem Mann unter 21 Jahren (das sogenannte Schutzalter) hatte, sowie Ausnutzung eines Abhängigkeitsverhältnisses und Prostitution.[19]

Während der Jahre, die wir auf dem Gymnasium verbrachten, von 1977 bis 1986, wurden 1562 Männer nach dem abgemilderten Paragraphen 175 verurteilt.

Lesbische Frauen waren von der Gesetzgebung formal nie betroffen.[20] Als Gegner des Paragraphen 175, die das Gesetz durch höchstrichterliche Urteile außer Kraft setzen wollten, argumentierten, der Paragraph 175 stehe nicht nur in der Tradition der Nationalsozialisten, sondern widerspreche außerdem den Grundrechten aus Artikel 2 (»Freie Entfaltung der Persönlichkeit«) und Artikel 3 des Grundgesetzes (»Gleichberechtigung von Mann und Frau«), sah sich der Zweite Strafsenat des BGH 1951 zu einer Erklärung genötigt, warum weibliche Homosexualität anders zu bewerten sei als männliche. Die Nichtbestrafung der »sogenannten lesbischen Liebe (ist) kein Verstoß gegen den Gleichheitsgrundsatz (...), denn er verbietet nur Gleiches ungleich, nicht aber,

Verschiedenes seiner Eigenart entsprechend zu behandeln«. Und weiter führte das Gericht die »naturgegebenen Unterschiede der Geschlechter« und die »daraus gerechtfertigten verschiedenen kriminalpolitischen Bewertungen beider Arten gleichgeschlechtlicher Unzucht«.[21]

Ich will nicht gerade behaupten, dass es mich gefreut hätte, wenn lesbische Frauen auch illegalisiert und für ihr Begehren angeklagt worden wären, aber so gar nicht als lustvoll bedrohlich wahrgenommen zu werden irritiert mich analytisch dann doch. Warum wurde weibliche Homosexualität nicht als »entartet«, nicht als Bedrohung für den »gesunden Volkskörper« gewertet? Warum sollte weibliche Lust nicht seuchenhaft um sich greifen können?

Als das Bundesverfassungsgericht 1957 die Rechtmäßigkeit des ursprünglichen Paragraphen 175 bestätigte, erklärte es zur Frage der Ungleichbehandlung von männlicher und weiblicher Homosexualität: »Die besondere Geschlechtsprägung der gleichgeschlechtlichen Unzucht tritt wie in der Verschiedenartigkeit der körperlichen Begehungsformen so auch in dem verschiedenartigen psychischen Verhalten bei diesen Vorgängen zutage und bestimmt von diesen biologischen Verschiedenheiten her deutlich das gesamte Sozialbild dieser Form sexueller Betätigung.«[22]

Die Verschiedenartigkeit der körperlichen »Begehungsformen«? Ist das Begehen durch Lippen, Zunge, Finger, Hände, was auch immer wir atemlos nutzen, um ineinander einzudringen, einander zu berühren und zu erregen, ist das harmloser? Ist es weniger epidemisch oder weniger »ent-

artet«? Was an den männlichen biologischen Verschiedenheiten wird denn in den Begehungsformen so bedrohlich?
Analverkehr? Das ist ja keine sexuelle Praxis, die ausschließlich Schwulen vorbehalten ist, das kann auch Frauen Lust
bereiten. Oder ist es die misogyne Angst vor Penetration, die
Vorstellung, dass Männer nicht nur gefickt werden könnten,
sondern dass Männer gefickt und dadurch erregt werden
könnten, die als staatsgefährdend gilt?

Was für psychisches Verhalten geht mit diesen »Begehungsformen« (je häufiger ich das Wort schreibe, desto phan-
tastischer male ich mir aus, was damit gemeint sein könnte)
einher? Und was ist die Verbindung von körperlichen Begehungsformen, psychischem Verhalten und Sozialbild? Das
Bundesverfassungsgericht meint: »Die kulturelle Aufgabe,
Lustgewinn und Bereitschaft zur Verantwortung zu verbinden, wird von dem männlichen Sexualverhalten extrem
häufiger … verfehlt als von dem weiblichen.«

Mal abgesehen von der Komik der biologistisch-essentialis-
tischen Überzeugung, männliche Sexualität sei per se ver-
antwortungslos und sozial »verfehlt«, verfestigt sich hier implizit die Sicht der männlich-aktiv-lustvollen Ungezügeltheit
und der weiblich-lustlosen Pflichtschuldigkeit.

Warum weibliche Homosexualität nicht verboten wurde?

Vermutlich, weil das Bundesverfassungsgericht sich weibliche
Lust, heterosexuell oder homosexuell, weibliches Begehren
grundsätzlich nicht vorstellen konnte. Die Idee, dass Frauen
selbstbewusst begehren könnten, dass es eine weibliche Ero-

tik geben könnte, die aus der eigenen Lust und Phantasie sich speist, war unvorstellbar. Weibliche Subjektivität, weiblicher Eros, entkoppelt vom Begehren eines Mannes, losgelöst von den Bindungsnöten einer bürgerlichen Familie, das tauchte nicht auf. Eine »unverantwortliche«, promiske weibliche Sexualität, die sich nur ausleben will, begehren nur um des Begehrens willen, das musste nicht einmal tabuisiert oder verboten werden, weil das niemand auch nur denken konnte.

Dass diese Art von freier Libido sich dann auch noch auf andere Frauen beziehen könnte, dass sie lesbisch sein könnte, das blieb im Schatten des die Lust normierenden Strafrechts. Frauen, die sich in die Körper anderer Frauen hineinlieben, die in sie eindringen, abtauchen, auflösen, ohne Bedarf an einem Penis, ohne Neigung zur biologischen Reproduktion, ohne Vision von Dauer, das erschien den Richtern nur deshalb nicht bedrohlich, weil es ihnen gar nicht aufschien als Möglichkeit.

*

Irgendwann saß Daniel nicht mehr in der Mitte. Zu Beginn des neuen Schuljahres, mittlerweile schon oben auf dem Berg in den Mittelstufengebäuden des Gymnasiums, landete er auf einmal ganz vorne links, in der Nähe der Fenster, und in der Nähe des Lehrerpults, dort, wo niemand sitzen wollte und dort, wo es nur noch einen Tischnachbarn gab, nicht zwei, die einen einrahmten. Er saß am äußersten Rand. Er sah noch immer attraktiv aus, größer und schmaler, aber immer noch mit dieser eigentümlichen Eckigkeit. Nicht nur wegen der waagerechten Schultern. Seine Bewegungen waren seltsam unrund. Daniel war ein guter Sportler mit einem

Körper, der immer athletischer, immer männlicher wurde, aber etwas Ungeschmeidiges lag in seinen Bewegungen, das schwer auszumachen war, es gab bei ihm nie eine leichte, geschlossene Geste, es war als ob er eine Unwucht hätte in sich, etwas war nicht ganz lotrecht.

Das ist mir damals schon aufgefallen. Aber ich hätte es nicht so genau zu benennen gewusst.

Was mir auffiel, war, wie Daniel Ball spielte. Ob Fußball oder Basketball oder Handball war eigentlich gleich. Er spielte gut. Und doch war da diese sonderbare Mischung aus gezügelter und ungezügelter Kraft. Es war gleichzeitig zu stark und zu schwach, gleichzeitig zu unkontrolliert und zu kontrolliert. Einmal habe ich versucht, einem Wurf von Daniel auszuweichen und mir dabei das Handgelenk gebrochen. Das war natürlich nicht seine Schuld. Aber es war trotzdem symptomatisch. Wir hatten Völkerball gespielt. Draußen auf dem steinigen Platz vor den Turnhallen. Daniel war in der gegnerischen Mannschaft und ich war eine der Letzten, die noch im Feld waren. Als Daniel den Ball hatte, wich ich unwillkürlich zurück, er hatte noch nicht einmal den Arm gehoben, noch nicht einmal auf mich gezielt, und schon schreckte ich zurück; als der Ball dann auf mich zuflog, war ich bereits im Fallen, rückwärts, stolpernd und krachte auf meine rechte Hand. Der Ball schlug mich ab, als der Knochen bereits zersplittert war. Daniel war mindestens so erschrocken wie ich.

Andere waren ungeschickter als Daniel, andere waren unsympathischer als er, verspielter noch, verklemmter. Es gab manche Jungen, die wurden wegen des anhaltenden Stimmbruchs gehänselt, der sie in einem Zwischenreich zwischen Kindlichkeit und Männlichkeit gefangen hielt, es gab manche, die wurden wegen ihrer Strebsamkeit oder ihrer Fettleibigkeit lächerlich gemacht. Aber dies waren punktuelle Gemeinheiten. Es waren Schüler, die ohnehin am Rand standen und die dort auch weitestgehend unbehelligt blieben. Bei Daniel war es anders. Es war nicht wirklich zu erklären, warum er herausfiel. Aber auf einmal saß er am Rand. Es war in der neunten Klasse, wenn ich mich nicht irre. Etwas veränderte sich in seinem Blick. Das war nicht mehr der Junge, der am ersten Tag ganz ruhig reagiert hatte auf die Aufforderungen der anderen, der seine Unlust signalisieren konnte, dem es nicht wirklich wichtig war, was die anderen dachten von ihm. Man konnte nun sehen, dass er sich fürchtete. Vermutlich war es ebendiese Furcht vor dem Außen, die ihn aus dem Innen vertrieben hatte.

Und dann begannen die Demütigungen. Es begann das Getuschel, wenn er etwas gesagt hatte. Das nur halbherzig unterdrückte Gelächter. Es senkten sich die Blicke, wenn Daniel versuchte, die, die eben noch seine Freunde gewesen waren und die ihn nun auf einmal ablehnten, anzuschauen, es schob sich eine unsichtbare Masse zwischen ihn und die Klasse, als ob er um seinen Körper auf einmal eine Schaumstoffschicht trüge, etwas, das verhinderte, dass er anderen nah kam, und das ihn zugleich schwerfälliger zu machen schien, langsamer, behäbiger.

Er tat mir leid. Es gab keinen Grund, warum er auf einmal so isoliert wurde, es war furchtbar mit anzusehen, wie die Ablehnung von außen sich langsam nach innen verlagerte, wie Daniel kraftloser wurde, wie der Blick, der suchende, schließlich stumpf wurde, sich nach innen richtete, die Unsicherheit schlich sich in jede Bewegung ein, jede Geste wirkte unnatürlich, wie bei einem alten, gebrechlichen Menschen, der beständig zu stürzen fürchtet, so wurden Daniels Bewegungen immer kürzer. Es war physisch erkennbar, wie die Demütigungen ihm zusetzten, ihn zersetzten und als anderen hervorbrachten. Er wurde noch ungelenker, noch stiller, und, was vielleicht das Schlimmste war, er wurde bedürftig. Er suchte Zuneigung. In dieser Abhängigkeit offenbarte sich die ganze Verwundbarkeit der Pubertät, und in dieser Verwundbarkeit lieferte sich Daniel der ganzen Grausamkeit der Klasse aus.

Eine Weile lang geschah das verdeckt, es blieb eine Geheimsprache, ein Code unter den Schülern, doch irgendwann wurde es sichtbar, so sichtbar, dass es auch der Klassenlehrerin nicht mehr verborgen bleiben konnte, Daniel wurde beworfen, bespuckt, er wurde eingesperrt in den stinkenden Geräteraum, gemeinsam mit einem Jutesack Volleybällen, auf seinem Tisch fand sich ein benutzter Tampon. Wie lange die Klassenlehrerin darüber nachgedacht hatte, wie sie Daniel helfen könnte, ohne es explizit zum Thema zu machen und ihn damit erneut zu erniedrigen, weiß ich nicht. Jedenfalls wurde ich eines Tages, gemeinsam mit Johannes, dem anderen Klassensprecher, zu einer Unterredung gerufen. Wir sollten Daniel beschützen, erklärte uns die Klassenlehrerin. Wir sollten uns neben ihn setzen, rechts und links, und ihn so, in unserer Mitte, bewahren vor den Anfeindungen der anderen. Wie sie Daniel diesen Schritt erläuterte, weiß ich nicht.

Erst in diesem Moment fiel mir auf, dass er sich nie gewehrt hatte. Bei keiner der vorangegangenen Kränkungen hatte Daniel reagiert. Er war stumm geblieben. Stumm und wund. Man kann sich nur als das wehren, als was man auch angegriffen ist, hat Hannah Arendt einmal gesagt[23] und damit gemeint, dass sich nur als Jude verteidigen kann, wer als Jude angegriffen ist. Aber wie wehrt sich jemand, der als Schwächling, als Sonderling, als Außenseiter angegriffen wird? Zumal Daniel weder schwach noch sonderlich, noch eigentlich außen vor *war*. Wäre nicht jede Reaktion als die eines Schwächlings gedeutet worden?

Da saß er nun, dieser große Junge mit den eckigen Schultern, eingerahmt von uns, die wir schmaler waren als er.

*

Ob es wirklich im Lehrplan stand oder ob sich Kossarinsky einfach emanzipiert hatte von den Vorgaben der Schulbehörde, weiß ich nicht. Aber ich weiß noch, wie vergnügt er aussah, zu Beginn des Schuljahres, als er mit einem Stapel Partituren und Tonbändern den mittlerweile gebauten Musiksaal betrat, die kleine Bühne, auf der der Flügel stand, mit einem lustvollen Satz erklomm und die altersbedingte Bockigkeit, die sich in den Reihen vor ihm breitmachte, einfach ignorierte. Noch immer ließ er die Musikstunden mit Singen beginnen, noch immer hatte er diesen genießerischen Blick, dem sich keiner entziehen konnte und der die Unmusikalischen unter uns eher verstummen ließ, als dass sie ihn hätten enttäuschen wollen mit unpassendem Gebrumme. Aber längst gab sich Kossarinsky nicht mehr zufrieden mit der Schulung des Hörens. Erbarmungslos euphorisch hatte er uns in den vergangenen Jahren in Musik als Text unterwiesen, und nun sollten wir die Architektur der Komposition lesen, die Strukturen der verschiedenen musikalischen Formen entschlüsseln lernen.

Es begann leicht. Dachten wir. Kossarinsky hieß uns *Dona nobis pacem* singen, er gab die Einsätze, die Chormitglieder waren herauszuhören, er war zufrieden, und dann wollte er beschrieben haben, was für eine Struktur das war, der Kanon, jene musikalische Form, mit der wir so vertraut waren, dass sie uns nie als etwas Besonderes aufgefallen war. Zu seiner Freude tauchten alle Begriffe auf, die er erwartet hatte, die Musik bestand aus »Wiederholungen«, ein Thema setzte ein, eine Stimme begann mit einem Motiv, einer Melodie, und die zweite Stimme, die dritte, vierte folgten hinterher, einer »imitierte« den anderen. Das war, was Kossarinsky hören wollte, dass jemandem von uns das Wort »Imitation« einfiel, und schon spielte er am Klavier verschiedene Motive an, die einander imitierten, nichts, was wir kannten, Mozart, aus den »Fugen für Klavier«, Max Reger, »Variationen und Fuge über ein Thema von Bach«, er deutete an, was uns im Verlauf der nächsten Wochen und Monate erwarten würde, schnell war klar, dass es nicht mehr einfache kanonische Strukturen zu erkennen galt, es ging mit ihm durch, er spielte und griff vor, ein paar Takte Schostakowitsch, wir konnten nur ahnen, mit ein bisschen Singen und Zuhören wäre es nicht getan.

Er machte eine Pause, wurde ernst, konzentrierte sich oder vielmehr uns, und dann begann Kossarinsky ganz leise und gewiss die dis-Moll-Fuge BWV 853 aus dem ersten Buch des

»Wohltemperierten Klaviers« zu spielen. Danach begann die Arbeit. Er händigte die Noten aus, stumm, und ließ uns zunächst das zusammentragen, was wir mit unserem Wissen noch entschlüsseln konnten, die ersten zweieinhalb Takte, die das Thema vorgaben, das zunächst in der Mittelstimme einsetzt, dann im dritten Takt von der Oberstimme imitiert wird und zuletzt im achten Takt von der Unterstimme anklingt. Er ließ uns das Thema singen, damit sich die Tonfolge, die wir nun in ihren Umwandlungen ausmachen sollten, in uns einschriebe.

Fuge, von lateinisch *fuga*, Flucht, erklärte uns Kossarinsky, das war eine musikalische Form, ein Kompositionsprinzip, bei dem verschiedene Stimmen einem Thema hinterher-»jagen«, auch wenn zu dem Bauplan einer Fuge gemeinhin nicht nur ein Thema, das Subjekt, sondern auch ein weiteres Thema, das Kontrasubjekt, gehört, hatte sich Kossarinsky die dis-Moll-Fuge als Lehrstück für uns ausgewählt, in dem gar keine Kontrasubjekte auftauchen, sondern nur fünfunddreißig Einsätze, an denen sich die verschiedenen Wandlungen des Hauptgedankens studieren ließen.

Kossarinsky hatte uns in den vergangenen Jahren so weit in Harmonielehre eingeführt, dass wir die motivische Kontur des Themas ausmachen konnten: zwei Quintintervalle, die den Rahmen der Phrase aus Sekundschritten bilden, wir konnten Tonika und Dominantseptakkorde herauslesen, aber darum allein sollte es nicht gehen.[24]

Kossarinsky wollte uns die Grammatik von Fugen erläutern, wir sollten das Prinzip aus Subjekt und Kontrasubjekt, die

Formen der Durchführung, Inversion, Augmentation oder rhythmische Varianten kennen, er wollte, dass wir sowohl die metrischen als auch die harmonischen Momente einer Fuge zu deuten wissen. In all den Jahren am Gymnasium, die ich bei ihm Musik studierte, war ihm nichts so wichtig wie diese Lektion, er hatte uns in Polyphonie eingeführt, wir hatten Sonaten und Symphonien studiert, selbst den Generalbass hatten wir später lesen und notieren gelernt (das hatte mit Sicherheit nicht im Lehrplan gestanden, war vielmehr nur aus einer harmlosen Nachfrage entstanden, zu einer biographischen Notiz über Beethoven, er sei ein hervorragender Generalbass-Spieler gewesen, und eh wir uns versahen, hatte Kossarinsky den Generalbass ins didaktische Programm aufgenommen), aber nichts schien ihm relevanter fürs Leben zu sein als die Textur der Fuge aus dem Wohltemperierten Klavier. Für Kossarinsky war die Architektur von Musik nicht einfach Architektur von Musik, sondern es war eine Sprache, deren Syntax unser Denken formen sollte. Wie Strukturen normative Grenzen setzen und gleichzeitig Freiräume erschließen können, das erklärte uns nicht Kossarinsky, sondern die Musik, die er uns verstehen half.

Wir lebten zu dieser Zeit in Körpern, die uns den Takt vorgaben, wir wuchsen zu schnell oder zu langsam, jeden Tag schien sich etwas zu verschieben, zu vergrößern, zu verändern, wir beobachteten die blutigen oder milchigen Flüssigkeiten, Blut oder Vaginalsäfte, Sperma oder Schweiß, die zu passenden oder unpassenden Zeiten aus uns heraustraten, wir beäugten uns selbst argwöhnisch, als seien wir jemand anders, und hofften doch auf diese Zeichen der Verfremdung, waren erschrocken und erleichtert zugleich, erschrocken, weil Schamhaare zunächst alle Nacktheit zu entstellen schienen, erleichtert, weil mit der Scham endlich auch die Sexualität, die uns bislang eher unsichtbar umtrieb, nun nach außen drängte, wir wurden »Reiflinge«, übten zu onanieren, ich, wie vermutlich auch die anderen Mädchen, allein, die Jungs dagegen wichsten in der Gruppe, konkurrent-gemeinschaftlich, als seien es die Bundesjugendspiele, und vermutlich ohne auch nur den Anflug von Ahnung, dass das auch wirklich Lust bereiten oder gar homoerotisch wirken könnte.

Wir waren wütend oder verzweifelt, müde oder lustvoll, wir waren gewiss nicht »wohltemperiert«, nach lateinisch *temperare* (richtig mischen oder ordnen), bei uns war nichts geordnet oder richtig gemischt, und vor allem waren wir dauernd unsicher, weil nicht die Welt, aber wir aus den Fugen waren, nichts fügte sich wie es sollte, vor allem wir selbst nicht, ständig schien alles unpassend, zu peinlich oder zu bedrohlich, wir wuchsen in etwas hinein und wussten nicht, in was oder, in meinem Fall, ob ich in das, was für mich vorgesehen war, hinein wollte.

Ich wollte das Begehren entdecken und ausleben, aber es sollte meins sein, ein sexualisierter »Halbreifling«, das wäre es gewesen, denn ich wollte nicht »mannbar« werden, wenn das heißen sollte, einfach nur überantwortet zu werden an die Lust eines anderen, ich wollte ein Halbreifling bleiben, denn das hieß, dass sich die eigene Lust noch weiterentwickeln würde, dass es nicht schon vorbei war, sondern dass es immer wieder eine Variation, eine weitere Stimme, eine weitere Aneignung des ursprünglichen Themas geben würde.

Da saßen wir nun und lernten eine musikalische Sprache, analyiserten die Welt der Fugen, in der die Fragen von Vorbild und Nachahmung, Norm und Differenz, Aneignung eines Themas, alles, was mich im Stillen umtrieb, verhandelt wurde. Während Glenn Gould noch beklagte, dass die Fuge »keine Form als solche ist, in dem Sinne, in dem die Sonate (oder der Kopfsatz einer Sonate) eine Form ist«, schien gerade das ihr Vorzug zu sein, eine Vorlage für das, was das Begehren für mich bedeuten sollte, nämlich, dass sie eher »eine Aufforderung, eine Form zu erfinden«, darstellt.[25]

*

»Leonce: ›Tanze, Rosetta, tanze, dass die Zeit mit dem Takt deiner niedlichen Füße geht‹ – Rosetta: ›Meine Füße gingen lieber aus der Zeit.‹«[26]

Das Eigene beginnt mit einem Nein.

Mit einer Verweigerung, dem Gefühl, etwas anderes zu wollen als das, was gewollt wird. Dieses Unbehagen an dem, was gefordert ist, kann verschwommen sein, eine Ahnung nur, es braucht noch nicht einmal eine Vorstellung von dem, was die Alternative wäre, es reicht zu wissen, was für einen selbst nicht in Frage kommt. Aber in diesem ersten Nein schält sich das Eigene heraus. In diesem Moment, in dem etwas nicht mehr als selbstverständlich empfunden wird, in dem eine Gewissheit plötzlich ungewiss, in dem das Fraglose plötzlich zweifelhaft wird, in dieser Bruchstelle entsteht das Ich.

Das ist etwas anderes als das Eigene im Scheitern zu verorten, im Misslingen. Im Diskurs über lesbische Frauen hat sich die Vorstellung etabliert, lesbische Lust als einen Mangel an Lust zu definieren. Als ob homosexuellen Frauen das Begehren fehlte, als ob sie sich durch eine misslungene Sexualität auszeichneten. Vielleicht fällt das manchem leichter als sich vorzustellen, dass es eine eigene Form der Lust ist, dass sie nur etwas Bestimmtes nicht will, weil etwas anderes als schöner, tiefer, aufregender empfunden wird. Homosexuelle Frauen begehren Frauen, weil sie *begehren* – nicht, weil sie nicht begehren.

Das Nein, diese Bruchstelle, ist nur der Beginn hin zu etwas.

Manche Vorgaben wollte ich nicht erfüllen, manche Rituale nicht zelebrieren, vielleicht wusste ich noch nicht, was ich wollte oder warum, aber ich wusste, was ich nicht wollte, wozu ich mich einfach nicht überwinden konnte, wo ich allein zurückblieb, auch wenn es allen anderen normal schien. Vielleicht war diese Intuition ein glücklicher Schutz, vielleicht bewahrte es mich vor Erfahrungen, in denen ich mir selbst fremd erschienen wäre. Ich scherte gleichsam aus, blieb einfach liegen, rührte mich nicht, wie Strandgut, das sich nicht weiterspülen lässt. Es war noch nicht einmal eine große Anstrengung, dieses Nein. Wann genau das begann, weiß ich nicht, aber ich weiß, wie ich das erste Mal wirklich erstaunt war, wie die anderen etwas wollen konnten, das mich nur anwiderte: Alkoholexzesse.

Ich mochte einfach keinen Alkohol, zwar waren Bier und Korn, Wodka und Gin ebensolche Marker der Coolness wie

Marihuana, aber ich mochte nicht nur den Geschmack all dieser Getränke nicht, vor allem mochte ich nicht, was sie aus den anderen machten. Für mich verschwanden meine Freunde. Einmal betrunken, verzerrten sie sich, entfremdeten sich von sich selbst, und wenn ich eines in dieser Zeit der Pubertät wollte, dann mir zu eigen sein, mich aus dem Fremden herausschälen, mich wehren gegen das, was mich verzerren wollte oder könnte. Erwachsenwerden konnte doch nicht heißen, so zu werden wie die anderen Erwachsenen, sondern aus sich herauszuwachsen, weiter aufzublättern, das Innen nach außen zu kehren, nicht das Außen über das Innen zu stülpen.

Mit Alkohol radikalisierten sich die nächtlichen Feten, kaum ein Fest, bei dem ich nicht zu später Stunde das Erbrochene der anderen aufwischte, dankbar, dass ich etwas zu tun hatte und nicht bloß dämlich herumstand, während um mich herum meine sturzbetrunkenen Mitschüler aus gutem Hause damit beschäftigt waren, den Dackel der Gastgeberin in eine chinesische Vase zu propfen oder die damals typischen holzverkleideten Theken in den Partykellern der Eltern auseinanderzuhebeln, kaum eine Fete, bei der sich nicht einer der Jungs die Handinnenfläche aufgeschlagen hatte beim Versuch, den Keramikdeckel einer Flasche *Flens* mit einem Handkantenschlag abzutrennen, und kaum eine Feier, bei der nicht bis zur Besinnungslosigkeit getrunken wurde, um dann enthemmt genug zu sein, sich aufeinanderzustürzen.

Ich erinnere mich, wie ich an einem dieser ausartenden Abende an eine Wand gelehnt stand und zuschaute, wie mir meine Freundinnen fremd wurden, wie ich dieselben Mädchen, die ich doch nun seit Jahren kannte, auf einmal nicht mehr verstand, wie sie unsicher wurden gegenüber denselben Jungs, die sie doch nun ebenfalls seit Jahren kannten, wie sie sich zu schämen begannen. Natürlich wollte ich auch gemocht werden, natürlich bangte ich auch, ob ich auch von dem Richtigen gemocht wurde, mir war nicht das fragend Sehnsüchtige fremd, sondern die mit dieser Unsicherheit einhergehende intellektuelle Selbstverstümmelung. Es war etwas selbstverständlich Devotes, das plötzlich in die Gesten der Mädchen eingezogen war wie ein Scheitel und selbstbewusste, kluge Wesen seltsam entstellte.

Ich verstand es einfach nicht. Etwas spaltete sich auf, und ich wollte diese Spaltung nicht mitmachen, wollte nicht akzeptieren, dass alle anderen diese Rollen akzeptierten. Ich schaute auf die anderen wie auf ein Theaterstück, bei dem es ein Diesseits und Jenseits des Vorhangs gab, und ich konnte mich einfach nicht in diesem Stück sehen, die Kostüme passten nicht, Figuren und Text waren mir fremd.

Daniel blieb oft bei mir stehen in diesen späten Stunden der zunehmend eskalierenden Feten, nicht auszuschließen, dass die Aggression der Jungs sich nicht nur am Dackel und dem Mobiliar der Neureichen entladen würde, sondern auch an ihm, er stellte sich zu mir, wie man sich unter einen Baum stellt bei Regen, wir schauten, wie die Mädchen in den Zimmern verschwanden, schon wankend und mehr oder minder willenlos, manche Paare drängten sich auch auf den Sesseln und Sofas im Wohnzimmer, andere standen noch an der Bar und mixten ungenießbare Drinks zusammen. Das Trinken war Daniel gewohnt. Mit den Arbeitern der Gärtnerei seiner

Eltern musste er dauernd trinken, Bier und Korn, zum Abschluss der Plackerei, wenn alle Bäume gepflanzt waren und alles schwere Gerät wieder verstaut.

So standen wir zusammen, stumm, und schauten den anderen zu. Vielleicht wäre das der Moment gewesen. Der Moment, an dem wir hätten sprechen können über das, was uns gemeinsam war, das, was uns von den anderen unterschied. Vielleicht wäre dann alles anders verlaufen. Vielleicht hätten wir zusammen eine Sprache finden können für das, was uns abhielt davon, uns in dieselben Reigen zu stürzen wie unsere Freunde, vielleicht hätten wir einen Begriff finden können für dieses Unbehagen an dem, was für die anderen so selbstverständlich schien.

Warum habe ich nicht einfach gefragt? Warum habe ich nicht einfach gesagt, was mich so befremdete? Warum habe ich nicht gesagt, wie froh ich war, dass er da an meiner Seite stand, dass ich nicht allein war? Es wäre zu zweit so viel leichter gewesen herauszufinden, was wir fühlten, was uns herausnahm aus der Szene um uns herum. Vielleicht hat Daniel weniger der Alkohol und mehr die eskalierende Gewalt gestört. Vielleicht wusste er schon, dass er Mädchen nicht begehrte, vielleicht hatte er auch nur Angst, dass er zurückgewiesen würde, vielleicht glaubte er, dass er nicht mehr dazugehörte. Vielleicht.

Ich habe den Moment verpasst.

*

Die Lüge ist zu einem Lebensgefährten geworden. Den Satz habe ich dreimal geschrieben und wieder gelöscht. Ich wünschte, es wäre nicht wahr, und deswegen überschreibe ich, lügend, den Satz wieder, aber er bleibt wahr. Die Lüge begleitet mich. Auf allen Reisen. Die Lüge bietet sich an, drängt sich auf, die Lüge steht bereit, sie bedroht die Wahrheit. Es gibt Kreise von Wahrheiten, von unterschiedlichen Graden an Wahrheit, sie legen sich um den innersten, die eigene Lust, das lebendige, sich wandelnde, vertiefende Begehren. Und das Sprechen darüber.

Es gibt das Schweigen, das liegt dem Kern am nächsten, es drängt sich wie ein Schutzschild vor die Wahrheit und umschließt sie, dann gibt es Ringe aus erweiterten Wahrheiten oder verkürzten, es gibt Lücken, unbeschriebene Flächen, Geschichten, die ausgelassen oder verändert werden, manchmal nur in Teilen, manchmal ganz, und, zuletzt, im äußersten Ring, liegt die blanke, unverfälschte Lüge.

Das ist vermutlich nichts Besonderes. Die meisten Menschen leben in ebensolchen Kreisen aus Schweigen und Sprechen, nur liegt im Kern nicht immer das Begehren, sondern etwas anderes, manchmal wird aus Vergesslichkeit geschwiegen, weil etwas nicht wichtig ist, nicht bedeutsam genug, manchmal wird aus Schuld geschwiegen oder aus Angst, manchmal sind es Tabuzonen, die von Generation zu Generation weitergereicht werden, die nicht hinterfragt werden und die doch den Alltag regeln, manchmal beschweigen sie die eigene Scham, manchmal die der anderen, manchmal verleugnen sie Stärken, manchmal Schwächen, es kann ein uneheliches Kind sein, das beschwiegen wird, eine Behinderung oder auch das eigene Glück, ein besonderes Talent, eine Begabung, die nicht passt in die Welt, aus der sie herausragt, eine Empfindsamkeit, die störend wirkt in einem rauen Umfeld, was auch immer als zu komplex, zu erklärungsbedürftig, zu widerspenstig für ein konventionelles Gespräch unter Fremden angenommen wird, all das kann verstümmelt, verklärt, verändert werden.

Meist sind es ganz banale Fragen, die mich aus dem innersten Kreis der Wahrheit vertreiben und in den nächsten schicken, den, in dem ich etwas weglasse, mich zurückhalte, beginne, etwas zu verschweigen.

»Bist du verheiratet?«

Das ist der Klassiker, der mir auf Reisen begegnet, nicht nur in Haiti oder Albanien, sondern auch in Iran oder Gaza, Gegenden, in denen Menschen, die so lieben wie ich, gedemütigt und vergewaltigt, angeklagt und hingerichtet werden können. »Bist du verheiratet?«, meist entsteht diese Frage in einem längeren Gespräch, oft sitzen viele Zuhörer herum, eine kurzhaarige Frau, die Fragen stellt, eine Fremde, das ist wie ein Gewürz aus einer anderen Welt, davon wollen alle etwas haben, das ist informativer als Fernsehen, das ist endlich einmal die Gelegenheit, dem anderen, der westlichen Welt, etwas zu erwidern, sie auch in einen Dialog zu verwickeln, der so selten stattfindet.

»Bist du verheiratet?«

Das ist als Geste gemeint wie gezuckerter Tee, ein Angebot, eine Eröffnung, etwas, das Vertrauen stiftet, denn verheiratet, so denken meine Gegenüber in Jenin oder Port au Prince, verheiratet sind wir doch alle. Die Frage ist als Absicherung gemeint, wie man beim Bergsteigen einen Haken in den Fels schlägt, etwas, das stabil ist, von dem aus man sich weiterhangeln kann, auf das man zurückgreifen kann, falls es, weiter oben, unsicherer werden sollte.

»Bist du verheiratet?«

Das wird natürlich bejaht, denken meine Gegenüber, denn wer ist schon *nicht* verheiratet in dieser Welt, selbst Frauen, die durch die Welt reisen dürfen, also einen Beruf haben, der sie weit weg bringt von einem Haushalt, der eigentlich geführt werden will, selbst die müssen ja verheiratet sein, vermutlich mit einem Mann, der etwas andere Vorstellungen von Ehe hat als sie hier, nun gut, aber verheiratet, das sind doch alle … Und dann kann das Gespräch beginnen über die Kinder, über die Familie, das schafft Vertrauen.

Gespräche unter Fremden sollten immer mit Ähnlichkeiten beginnen, dann sind die Unterschiede, die früher oder später auftauchen, erträglicher, reißen nicht mehr solche Untiefen auf.

Was *sage* ich dazu? Ich weiß ja, dass die Frage nicht darauf aus ist, differenziert beantwortet zu werden. Die Wahrheit ist: ich bin *nicht* verheiratet. Das ist eine vergleichsweise einfache Antwort, sie ist noch nicht einmal gelogen. Doch *sage* ich das? Wenn ich antworte, »Ich bin nicht verheiratet«, dann ist das zutreffend, zieht aber gleich eine Kette von mitunter grandios komischen Fehlurteilen nach sich.

Neulich hat mir ein Gewerkschaftsführer in Rafah, im Süden des Gazastreifens, angeboten, seine dritte (sic!) Frau zu werden. Er meinte das durchaus charmant, es schien ihm ein mehr als großzügiges Angebot zu sein für eine Frau, die offensichtlich über 18 und immer noch nicht verheiratet ist. Mit Nachdruck erklärte er mir, dass dies doch einer der Vorzüge des Islam sei, mit mehreren Frauen gleichzeitig verheiratet sein zu können. Ob das auch für mich gelte, hatte ich zu ihrem Entsetzen die Übersetzerin fragen lassen und damit allgemeines Gelächter ausgelöst. Nicht etwa, weil die streikenden Lastwagenfahrer, die um meinen Gewerkschaftsführer herumsaßen, geahnt hätten, dass ich das durchaus wörtlich gemeint haben könnte (ob auch ich mit mehreren Frauen verheiratet sein dürfte im Islam), sondern weil der Umkehrschluss, dass auch eine Frau mit drei Männern verheiratet sein könnte, so selbstverständlich *nicht* gilt, dass sie meine Frage nur belächeln konnten.

Taktisch ist dies noch der günstigere Verlauf des Gesprächs. Weniger günstig ist, wenn auf meine Auskunft, ich sei nicht verheiratet, eine mitleidige, betroffene Reaktion folgt.

»Du bist also allein?«

Was nun? Soll ich sagen: »Nein, ich bin nicht allein« – und dann was? Wenn ich es dabei belasse, sind zunächst alle erleichtert. »Ah, gut, nicht allein«, und sie denken sich im Stillen einen Mann an meine Seite, es bliebe das Unbehagen, wieso jemand einen Freund haben kann, aber nicht verheiratet ist, denn dass ich eine Freundin habe, das ist noch undenkbarer.

Der russisch-amerikanische Dichter Joseph Brodsky beschrieb einmal, wie er sich als Kind scheute zu sagen, dass er Jude sei. »Die eigentliche Geschichte des Bewusstseins beginnt mit der ersten Lüge«, schreibt Brodsky[27] und erzählt, wie er in Russland in der Schulbibliothek einen Antrag ausfüllen musste, der nach seiner »Nationalität« fragte. »Ich war sieben Jahre alt und wusste sehr wohl, dass ich Jude war, aber der Aufsicht erzählte ich, ich wisse es nicht.« Das Bemerkenswerte an der Episode ist, wie Brodsky sich diese Lüge erklärt. »Weder schämte ich mich, Jude zu sein, noch scheute ich mich, das zuzugeben (…) ich schämte mich über das Wort ›Jude‹ – auf russisch ›*Jewrej*‹, ungeachtet seiner Konnotationen.« Was den Jungen störte, so schreibt der erwachsene Schriftsteller, war keineswegs die Tatsache seiner Zugehörigkeit zum Judentum, nicht sein Glaube oder seine Herkunft beschämten ihn, sondern die Seltenheit des Begriffs. »Wenn man sieben ist, reicht der eigene Wortschatz aus, um die Seltenheit dieses Wortes zu erkennen, und es ist äußerst unangenehm, sich mit ihm identifizieren zu müssen.«[28]

In diesen Situationen, auf Reisen, geht es mir oft ähnlich. Ich schäme mich nicht, unverheiratet zu sein, ich schäme mich nicht, eine Freundin zu haben, mir ist mein Leben als homosexuelle Frau nicht unangenehm – aber ich weiß um die Seltenheit all dieser Begriffe und Vorstellungen in diesem spezifischen Kontext, in dem ich mich bewege. Es ist immer etwas Besonderes, etwas, das erklärungsbedürftig wäre, das Aufmerksamkeit erregte.

Sollte ich also einfach, wie der junge Brodsky, lügen? Ich müsste ja nur eine Legende erfinden für mich in solchen

Situationen. Was soll daran so schwer sein? Ich könnte einen Mann erfinden, ihm einen Beruf andichten, die Kinder sind bereits groß und aus dem Haus, oder die Großeltern passen auf sie auf während meiner Reisen. Ich müsste nur einmal beschließen, mich auf diesen Reisen, bei Gesprächen mit Menschen, die ein Leben wie meins für undenkbar halten, ausschließlich im äußersten Kreis aufzuhalten. Ich müsste nur sagen: »Ja, ich bin verheiratet.« Noch einfacher wäre: »Ich bin mit dem Fotografen an meiner Seite verheiratet«, dann müsste ich nicht einmal einen fremden Mann als Platzhalter erfinden. Ich kann es einfach nicht.

Für wen der Weg andersherum verlief, wer sich von dem äußersten Ring immer weiter nach innen bewegen musste, für wen diese Lügen aufgezwungen waren, Kreis über Kreis aus sozialen Tabus und Konventionen bestand, die es zu überwinden galt, der will aus diesem Inneren nicht mehr vertrieben werden. Wer ringen musste, die Wahrheit über die eigene Lust zu erkennen, wer ringen musste, sie auszusprechen und sie oder sich nicht für eine Zumutung zu halten, der reagiert empfindlich auf die Konvention des Lügens.

Diese überhöhte Sensibilität gegenüber der sozialen Gewohnheit des Lügens teilen nicht nur Homosexuelle, sondern alle, die sich nach etwas gesehnt haben, das sozial inakzeptabel war, die sich ihre ästhetische, existentielle oder politische Freiheit erst gegen den Widerstand einer Familie, einer Religion, einer Gesellschaft erobern mussten, alle, die unsichtbar oder unhörbar zu sein hatten, die sich verschleiern oder verstellen mussten für eine Weile, verstehen

136

diese nahezu körperliche Freude, die es bereiten kann, einfach nur die Wahrheit zu sagen über sich selbst, einfach nur ohne Kopftuch auf der Straße zu laufen oder einfach nur mit Kippa, als Frau in einem Restaurant eine andere Frau zu küssen oder einfach nur Kleider zu tragen als Mann.

Angela Marquardt, die junge ostdeutsche Politikerin, antwortete einmal auf die Frage eines westdeutschen Interviewers, warum sie eigentlich ihre Haare rot-grün gefärbt trage, ob sie denn nicht wüßte, dass die Zeit des Punk nun mittlerweile vorbei sei: Sie freue sich einfach daran, dass sie sich ästhetisch artikulieren dürfe, wie sie wolle. Marquardt sagte, die Möglichkeit, endlich individuell sein zu dürfen, nach einem Leben in der DDR, in der alles, was anders war, verfolgt und ausgegrenzt wurde, das sei immer noch ein tiefes Glück.

Es gibt viele solche Beispiele. Majeda, eine Freundin aus Khan Younis im Gazastreifen, beschrieb einmal, wie sie ausreisen durfte, in die Schweiz zum Filmfestival von Locarno, und wie sie dort in einem Straßenlokal ein Bier bestellte, etwas, das zu Hause im von *Hamas* dominierten Gazastreifen verboten ist, und sie erzählte, dass sie sich derart daran freute, ein Bier zu trinken, in aller Öffentlichkeit, ohne Heimlichkeit, ohne Angst, wie anschließend die Spuren des Verbotenen zu beseitigen seien, wie also das Glas verborgen, zertrümmert, die Scherben in einer Tüte zu entsorgen wären, und dass sie deswegen den Kellner, der das zweite, frische Bier brachte, bat, das erste, leere Glas doch stehen zu lassen. Damit sie es sehen könnte. Aus Freude, dass das möglich und für alle sichtbar war: ein ausgetrunkenes Glas Bier.

Deswegen ist für Menschen, denen Sexualität und Wahrheit keine Selbstverständlichkeit waren, die Frage nach dem Lügen von solcher Bedeutung. Ich musste meine Arten des Begehrens erst entdecken, immer wieder, das Sprechen darüber fällt mir weder in Europa noch im Nahen Osten schwer, aber weil die Wahrheit in diesen Gegenden so viel seltener, so viel unbequemer ist, will und will mir auch das Lügen nicht leichtfallen.

Wer in einem urbanen Milieu aus Künstlern und Intellektuellen lebt, dem mag diese Frage überflüssig erscheinen, in New York oder Berlin kann die Wahrheit noch so komplex, aber leicht verdaulich sein, weil die Heterogenität der Lebenswelt hier ihrerseits homogen auftritt. Wer aber reist, jenseits der eigenen kulturellen Provinz, der wandelt zwischen verschiedenen Zeitzonen und Lebenswelten, dem wird die Ungleichzeitigkeit zwischen dem Sagbaren hier und dem Sagbaren andernorts schmerzlich bewusst.

»Nein, ich bin nicht verheiratet.«

Von dem Satz an ist alles offen. Manchmal gehe ich nicht darüber hinaus und bleibe unbestimmt. Das, wofür das »Ich-bin-nicht-verheiratet« steht, wird nicht aufgelöst, so dass ich immer weiter hineingezogen werde in ein Gespräch, das Abhilfe schaffen möchte, mich aus dem elenden Zustand des Lebens als unverheiratete Frau herausbringen möchte.

Wer nicht lügen will, der könnte schlicht die Wahrheit sagen. Wenn es nur um mich ginge, wäre das gewagt, aber es wäre richtig. Gewagt, weil jemand wie ich, die nicht mit einem diplomatischen Korps reist, nicht bewaffnete Truppen oder offizielle Delegationen begleitet, sich ungeschützt bewegt. Homophobem Zorn oder radikalem Dogma wäre ich ausgeliefert.

Aber es geht nicht nur um mich. Ich muss mich auch fragen: Wessen Freiheit schütze ich mit meiner Wahrheit in so einer Situation, wessen gefährde ich damit? Wie würde mein Übersetzer behandelt werden, nachdem ich abgereist bin? Würden Männer mir erlauben, ihre Frauen zu interviewen, wenn sie wüssten, dass ich Frauen begehre? Dürfte ich noch mit den Frauen zusammen, nur mit den Frauen, in abgeschiedenen Räumen und Hotelzimmern, wie das üblich ist, Feste feiern? Wie würde mein Fahrer, der mich tagein, tagaus gefahren hat, anschließend in seinem Dorf behandelt? Nein, so unreflektiert die Wahrheit aussprechen, ohne Rücksicht auf die Folgen für meine Begleiter oder Gesprächspartner, das geht nicht.

Und so ist die Lüge zu einem Lebensgefährten geworden, sie bietet sich an, unmerklich, auf all diesen Reisen.

Aber es gibt noch jene Menschen, für die meine Offenheit oder Verschlossenheit, mein Schweigen oder Reden einen Unterschied ausmachen kann: diejenigen, die ebenso lieben wie ich, diejenigen, die etwas anders begehren, die, die für ihre Lust keine Sprache finden und oftmals auch kein Leben. Was bedeutet es für sie, wenn ich, die da, wo ich herkomme, mich in jeden Körper hineinlieben darf, der mir Lust bereitet, die ich mich nehmen lassen darf, für wen immer ich kommen will, wenn nun ausgerechnet ich über dieses Begehren und

Leben schweige, was bedeutet es für diese Menschen, wenn ich mich den Normen anpasse, die sie unterdrücken?

Wie feige ist das, wenn selbst ich nicht über meine Sexualität spreche in Ländern, in denen die, die dort leben, für dasselbe Begehren ihr Leben oder ihre Freiheit riskieren?

Das ist der Grund, warum ich auf jeder Reise ein bisschen zu weit gehe, die Grenzen immer etwas weiter verschiebe. Das ist der Grund, warum ich auf jeder Reise etwas mehr von der Wahrheit ausspreche, als es erlaubt ist, sittsam oder ratsam wäre, warum ich in jedem Gespräch versuche, mich durch die Ringe nach innen zu ziehen, zur Wahrheit, zu mir und zu den Menschen, die so lieben wie ich, mit aller Schwerkraft.

Für solche Gespräche braucht es Zeit. Ich halte gar nichts davon, andere zu konfrontieren mit etwas, das sie nicht kennen, und dann enttäuscht zu sein über die Reaktion. Die meisten Menschen, denen ich begegne, im Irak oder Gaza oder auch in entlegeneren Gegenden hier bei uns, haben vielleicht schon Homosexuelle getroffen, aber das wissen sie nicht, weil keiner von denen zu sprechen wagte. Da sie Homosexuelle nicht kennen, haben sie zumeist, das ist ein Vorteil, auch keine Vorstellung von einer homosexuellen Person, sie haben nur eine dogmatische Vorstellung von Homosexualität. Das ist die strukturelle Schwäche eines jeden Tabus, dass es das, was es verbietet, nicht *genau* benennen kann oder darf, denn auch das wäre schon ein Durchbrechen des Tabus.

Insofern ist meine bloße Präsenz schon eine Überraschung, eine reale lebende Person, die ausspricht, wie sie liebt, die ein Leben hat, wie andere auch, die nicht eingesperrt oder verborgen ist, sondern die ein Gegenüber ist, jemand, mit der man sprechen kann – das ist derart verblüffend für viele, dass sie versäumen, mich abzulehnen oder anzugreifen. Vermutlich, das kann ich nur spekulieren, ist es nicht nur meine bloße Existenz, sondern auch die unverstellte Freude an meinem Leben, die entwaffnet, weil sie die Scham unterwandert, die von Homosexuellen (oder grundsätzlich allen, die etwas anders erscheinen) erwartet wird.

Es ist, als ob die Missachtung der Homosexualität gar nicht auftauchen könnte, weil die Scham als das Gegenstück fehlt. Stattdessen freuen sich viele an der Möglichkeit, mehr erfahren zu können über das, was sonst im Verborgenen existiert oder was, so denken auch manche, in ihren Gegenden gar nicht existiert. Manchmal fühle ich mich bei diesen Unterhaltungen wie ein Einhorn.

Manchmal verlaufen diese Unterhaltungen unfreiwillig komisch. Ich erinnere mich an ein Gespräch mit einem Veterinär in Argentinien auf dem Land, wir fuhren zusammen im Auto, und er fragte mich aus über meine Sexualität, erst das Praktische, wie das eigentlich ginge, so ganz ohne Schwanz (heterosexuelle Männer neigen gelegentlich dazu, Penisse überzubewerten und Größe unterzubewerten), dann über das Theoretische, warum das so sei? Mit Shere Hite und allgemeinen Studien und Statistiken über weibliche Sexualität[29] lässt sich in so einer Konversation nicht antworten.

Ob ich nie mit Männern geschlafen hätte?
»Doch.«

Ob mir das nicht gefallen hätte?

»Doch.«.

Das verwirrte ihn.

»Aber mit Frauen ist es einfach aufregender.«

Er dachte nach. Ich ahnte schon, dass er das nicht einfach akzeptieren würde.

»Warum?«

Das verwirrte mich nun. Die Frage lässt sich leicht abtun. Aber sie wirklich präzis zu beantworten, ist auch nicht so leicht. Anfangs, weil ich mich nun mal in eine Frau verliebt habe, eine Person, nicht nur einen Körper, und mir das Geschlecht gleichgültig war. Dann, später, weil ich mich immer wieder in Frauen verliebt habe, vor allem: weil ich mit Frauen schlafen wollte, auch ohne mich in sie zu verlieben. Weil ich mich nun einmal gern in Frauenkörper hineinliebe, weil sie mich erregen, weil es mir Lust bereitet, sie zu erregen. Reichte das als Antwort?

Wenn ich nachdachte, dann vermutlich mehr noch, weil es keine Regeln gibt, weil es keine historisch tradierten Praktiken gibt, weil es nicht normiert ist, in Bildern und Erzählungen, weil es all diese Kategorien: aktiv, passiv, männlich, weiblich nicht gibt, weil es keine Vorgaben gibt, wie wir miteinander zu schlafen haben, was uns erregen soll, oder so wenige, dass sie mir meine Phantasie nicht begrenzt haben, weil sich die Sexualität, die Lust selbst erfinden lässt, in dem Moment, in dem zwei Frauen miteinander schlafen, weil es überraschend bleibt, weil es nicht belastet ist von historischen Rollenmustern, gegen die sich jede wehren würde, weil alle Machtspiele, die vielleicht im Rausch der Lust entstehen können, offen sind und symmetrisch, weil das Verlangen immer wieder neu kommt und schließlich, weil die Lust unter Frauen endlos ist.

Doch erklärt es das »Warum«? Gibt es das überhaupt? Gibt es das denn für Heterosexuelle? Warum fragt keiner Heterosexuelle, warum sie das andere Geschlecht begehren? Wie sie so sicher sein könnten, niemals homosexuell zu begehren? Warum fragt niemand heterosexuelle Männer, ob sie nicht manchmal Lust haben, genommen zu werden, warum sollte diese Phantasie so undenkbar sein, warum sollte die Antwort so sicher sein? Warum fragt niemand heterosexuelle Frauen, wann sie das erste Mal gemerkt haben, dass sie Männer begehren (gelegentlich fürchte ich, manche könnte antworten, das *hätten* sie nie bemerkt)? Warum sollte für Heterosexuelle ihre Sexualität fragloser sein?

Bevor ich richtig antworten konnte, sagte er:
»Bist du denn sicher, dass du nie wieder mit einem Mann schlafen würdest?«
»Nein. Mit Brad Pitt würde ich sofort schlafen.«

Volltreffer. Das hätte ich natürlich nicht sagen sollen. Es entspann sich eine absurde Diskussion über Sex mit Brad Pitt. Ich fragte ihn, ob er denn nicht mit Brad Pitt schlafen wolle. Ich gebe zu, dass es mir schwerfällt, mir vorzustellen, irgendjemand könne *nicht* mit ihm schlafen wollen. Voller Entsetzen antwortete er:
»Nein, natürlich nicht.«

Die Antwort kam zu schnell. In Wahrheit hatte er sich die Frage nur gar nicht gestellt, oder er hatte sich der Frage nur nicht stellen wollen, er wollte sich nicht *vorstellen*, mit einem Mann zu schlafen, er wollte sich nicht fragen, ob er auch einen Mann begehren könnte. Allein die Phantasie schien eine Bedrohung zu sein.

Ist es das? Ist das, was wir wollen, auch davon abhängig, dass wir uns ausmalen können, was wir wollen *könnten*? Ist die Lust abhängig davon, dass wir sie uns phantasieren können? Und ist die Phantasie abhängig davon, was wir uns trauen zu phantasieren? Ist die Lüge nur deswegen so bequem, weil sie allen gestattet, die Phantasie in Grenzen zu halten?

Ich will nicht sagen, dass jede Phantasie jedem auch gefallen müsste (oder dass jede/r mit Brad Pitt schlafen würde ...), natürlich kennt das Begehren Grenzen, natürlich greift es manchmal aus, und manchmal zieht es sich wieder zusammen, aber ich glaube, die Freude an der eigenen Lust geht tiefer, wenn sie sich befragen lässt, wenn sie sich in Frage stellen lässt, wenn Phantasien imaginiert werden dürfen, bevor sie als ungewollt beiseitegelegt werden können. Vielleicht lässt das homosexuelle Begehren für mich mehr Phantasien zu, mehr Freiräume der unbestimmten Lust, in der sich mehr wagen lässt.

Ich mag Gespräche mit Menschen, die mein Begehren unverständlich finden, weil ich nichts daran selbstverständlich finde, weil ich es selbst noch einmal ausloten muss, wenn ich es beschreiben will, weil ich es mir selbst noch einmal vorhalte, als etwas Unverständliches, und es sich, wenn ich es auf diese Weise befrage, nur mehr vertieft.

*

Einsamkeit verbinde ich mit dem Geräusch von Kopfsteinpflaster. Noch heute, wenn ich mit dem Auto über alte Steine an irgendeinem Ort der Welt fahre und dieses rhythmische Rattern höre, zieht eine klamme Trauer in mir hoch. Ich kann sie zuordnen. Ich weiß, woher sie stammt. Ich kann Zeit und Ort benennen, als das Geräusch das erste Mal auftauchte und diese düstere Verbindung einging.

Ich saß hinten, auf der Rückbank des Wagens, die Häuser der Hafenstraße zogen rechts vorüber, links leuchteten die Docks, in denen bauchige Schiffe renoviert wurden, am Ende der Straße, auf der Höhe des alten Fischmarkts, würde die Straße einen Knick nach rechts machen, ich mochte die Stelle besonders, weil alle Autofahrer dort, in der Kurve, immer ein wenig Schwung aufnahmen für die nachfolgende Steigung, just in der Ecke leuchtete der blaue Schriftzug über der Eingangstür der »Schultheiss«-Bar mit dem Namen »Fick«.

Markus und Sven unterhielten sich vorne leise. Wir waren alle zusammen in einem Club in der Innenstadt tanzen gewesen und fuhren nun zurück nach Haus. Keiner von beiden war mein Freund, Sven war ein paar Jahre älter, und wir gingen gern zusammen aus, redeten oder tanzten, vertraut wie eine Schar junger Hunde. Zumindest dachte ich das. Mir gefielen beide, mir gefiel die Stille nach der lauten Disco und diese langsame Fahrt durch die Nacht.

Doch auf einmal war da keine Kurve, auf einmal nahm der Wagen keinen Schwung auf, ich sah aus dem Augenwinkel noch das »Fick«, und dann bogen wir plötzlich nach links ab, runter von der asphaltierten Straße, weiter Richtung Westen, und da begann dieses Holpern. Die Straße verschmalerte sich an einer Stelle, dann teilte sie sich, in der Mitte ein karger Grünstreifen, zu beiden Seiten der Straße lagen die flachen Lagerhäuser der Fischhändler. Ich kannte diese Gegend nur tagsüber.

Ich war oft mit meiner Mutter hierhergefahren, um frischen Fisch zu kaufen, meistens für festliche Tage. Ich mochte es besonders gern, mit dem Auto direkt vor die Lager zu fahren, deren Eingänge einen halben Stock erhöht lagen, damit die Lieferanten bequem die eisigen Kisten mit Fisch und Schalentieren einladen konnten. Ich mochte das Schmucklose an dieser Gegend und auch an dem Verkauf, keine Vitrinen, keine Einkaufswagen, eigentlich auch keine richtigen Verkäufer, nur frische Ware, eingeschlagen in Zeitungspapier und dann in einer Plastiktüte oder, bei größeren Mengen, in Styropor-Kästen.

Doch dort, wo normalerweise die Kleintransporter parkten, standen nun im Halbdunkel Huren. Sven fuhr langsamer. Nicht nur, weil er besser sehen wollte, sondern auch weil all die anderen Wagen, die zu dieser Stunde über den Strich am Hafen fuhren, sich nur langsam, stockend bewegten. Im Schritttempo näherte sich unser Scheinwerferkegel den

Frauen, einer nach der anderen, sie traten hervor, lockend, mit gespielter Uneinnehmbarkeit, alte Huren, junge Huren, gelassene und verzweifelte, drängende und gleichgültige, Frauen, denen die Arbeit der Nacht, die Arbeit der vergangenen Jahre anzusehen war, Frauen, die sich ihrer Schönheit bewusst waren, die ihre Überlegenheit, den abgetakelteren Frauen oder den Freiern gegenüber, ausstellten.

Prostituierte auf dem Strich waren in der Stadt so selbstverständlich wie Lotsen auf dem Fluss, Schausteller auf dem Jahrmarkt oder Makler an der Börse. Ihren Anblick war ich gewohnt. Ihren abschätzigen Blick auf mich als junge Frau, die das Geschäft verderben könnte, die in ihr Territorium auf dem Kiez eingedrungen war, auch. Sie gehörten nicht nur zur Kulisse des Rotlichtviertels, sie waren nicht bloß bittersüße erotische Folklore, sondern sie gehörten auch zur sozialen Wirklichkeit dieser Stadt, die sich einerseits darin ihrer vermeintlichen Weltläufigkeit versicherte, japanischen und amerikanischen Geschäftsleuten, die zu Verhandlungen in der Stadt weilten, stolz den unpuritanischen Umgang mit Sex zu präsentieren, indem sie ihre ausländischen Kunden ins edle »Café Cherie« oder ins weniger edle »Salambo« führten, wo sie zum Live-Fick auf die Bühne gezogen wurden, aber andererseits das ärmliche, brutalisierte Leben der Huren in der Illegalität selbst verachteten und noch immer von »Deern-Wohnheimen« sprachen, nur um das Wort »Puff« nicht in den Mund nehmen zu müssen.[30]

Die Zeit der Moralisierung der Prostitution war vorbei. Die Zeit der Moralisierung der Prostituierten nicht. »Schlampe« und »Nutte« waren geläufige Schimpfworte, Frauen, die sich für Geld verkauften, galten als »gefallen« und »verloren«, aber sich die sexuellen Dienste ebendieser »Schlampen« zu kaufen, das war geläufig und ganz und gar nicht verloren. »Freier« galten eben als freier. Es galt als aufgeklärt und emanzipiert, ein entspanntes Verhältnis zu Sex als Dienstleistung zu haben, Sex sollte endlich von repressiven Sittlichkeitsvorstellungen und bürgerlichen Familienwerten entkoppelt werden, Sex als losgelöst vom Diskurs von Liebe und Monogamie, all das schien befreiend, auch wenn es sich so gar nicht ins Verhältnis setzen ließ zu den trostlosen Bildern der Frauen, die ich im Vorbeifahren am Straßenrand stehen sah.

Erstaunlich, wie lange diese Ideologie der Verharmlosung der sozialen Bedingungen der Prostitution, der Toleranz der Ausbeutung bestehen blieb. Noch immer fällt es schwer, darüber zu reden, ohne sich ständig dem Vorwurf auszusetzen, verklemmt, moralistisch oder spießig zu sein. Noch immer mag niemand über Menschenhandel als globales ökonomisches Geschäft sprechen.[31] Immer noch schwingt die Angst mit, sich als illiberal gegenüber Prostitution zu geben, noch immer besteht die Konvention, Prostitution als emanzipatorische Errungenschaft zu preisen.

Damals war mir das Rotlichtviertel niemals Grund zu moralischer Empörung gewesen. Es gab Sex im Angebot. Überall. In allen Formen. Na und?

Aber dies war etwas anderes. Auf einmal standen die Huren direkt neben dem Fenster von unserem Wagen, auf einmal sah ich die Frauen so nah, ihre Brüste, die sich aus den Ausschnitten drängten, ihre wallenden Haare, ihre aufreizenden

Körper, ganz nah an der Beifahrertür, wo Markus saß, halb geil, halb gepeinigt wie Sven auch, weil beide etwas überfordert waren von der Situation, die sie doch selbst herausgefordert hatten.

Ich hörte ihren atemlosen Kommentaren zu, hörte, wie scharf sie die eingebildete Macht machte, das Versprechen der Huren, die Verfügungsgewalt über ihren Körper zu erlangen für ein paar Scheine. Dass die Scheine anschließend an einen der schlaksigen, dauergewellten »Luden« gehen würden, die in der Nähe herumlungerten, oder an die Dealer, das interessierte sie nicht.

Dass ich hinten im Fond saß, auch nicht. Selten habe ich mich derart allein gefühlt wie in diesem Moment, auf dem Kopfsteinplaster des Autostrichs, als meine beiden Freunde vorne überlegten, welche der aufgereihten Frauen ihnen am besten gefiele, welche wohl ihre sexuellen Phantasien erfüllen würde, welche gar zu Dingen in der Lage wäre, für die sie noch nicht einmal Phantasien entwickelt hatten. Sie lachten und prahlten, lüstern und unerfahren und so unersättlich, dass Sven, als wir das Ende der Straße erreicht hatten, gerade als ich erleichtert aufatmen wollte, dass das schreckliche Schauspiel ein Ende finden sollte, gerade als ich dachte, wir würden endlich die Auffahrt den Hügel hoch nehmen, dass Sven den Wagen drehte, einmal um den Grünstreifen in der Mitte herum, und zum Anfang des Strichs zurückfuhr.

Ich hätte sterben wollen.

Ich hatte in dieser Szene nichts zu suchen. Ich war ausgeschnitten. Die Jungs hatten mich vergessen. Oder sie
machten sich einfach keine Gedanken über den Unterschied
zwischen uns, nicht nur den des Geschlechts, sondern auch
den des Begehrens, es tauchte ihnen nicht auf als Frage, was
das bedeutete für mich dahinten.

Da saß ich nun und war gefangen in einer Dopplung der
Identifizierung: Ich fühlte mit den Huren. In der zwei-
geschlechtlichen Ordnung der Welt spiegelte ich mich in
ihnen. Ich war wie sie. Ich könnte auch so betrachtet werden, derselbe blinde Blick könnte mich treffen, der, der sah
ohne zu sehen, dieselben Worte über meine Brüste, meinen
Hintern, meine Beine, als seien es abschraubbare Teile einer
Puppe. Tendenziell könnte ich meiner Subjektivität ebenso
beraubt werden wie sie, die Erfüllungsgehilfinnen der Lust
der Männer, selbst in der nichtpassiven Rolle blieb ihre ge-
spielte Dominanz noch bloßes Instrument des Warentauschs.

Ich identifizierte mich auch mit den Huren, weil ich mich
mit ihnen identifizieren wollte, weil sie Außenseiterinnen
waren, weil andere auf sie herabschauten, weil sie randstän-
dig lebten, auch wenn sie im Zentrum der Stadt die Männer
bedienten, ich identifizierte mich mit ihnen, weil ich, vor
die Wahl gestellt, lieber zu ihnen gehören wollte als zu den
Männern, die Huren kauften.

Aber gleichzeitig gab es den Blick der Frauen auf mich. Und
für die Frauen gehörte ich zu den Männern. Ich saß als Teil
der jugendlichen Clique im Wagen, von ihnen getrennt
durch die Karosserie und durch das funktionale Prozedere

150

des Autostrichs: Aus den Wagen heraus wurden die Frauen, die nun Huren waren, betrachtet, aus den Wagen heraus wurde der Preis ausgehandelt, und in den Wagen wurde der vorher genau definierte Sex abgewickelt, auf den Sitzen der Wagen wurde nach Tarif gewichst, gevögelt, geblasen.

Die Frauen schauten auf den Wagen und die Kundschaft darin, die Jungs begutachteten die Huren an ihrem Fenster, nur ich wusste nicht, wie schauen. Denselben Blick *konnte* ich nicht haben. Mein Blick auf die Frauen als Objekte der Begierde funktionierte nicht. Nicht nur, weil ich zu dieser Zeit Frauen noch gar nicht zu begehren wusste. Auch heute, da mich Frauen erregen, gelingt mir dieser Blick auf Prostituierte nicht. Nicht allein, weil mich politische oder moralische Gründe davon abhalten.

Es macht mich einfach nicht an, das Schauen nicht, die Verdinglichung nicht, die Frauen, um die ich nicht werben muss, für die es unwichtig ist, ob sie meinen Körper schön finden, ob sie mich erregend finden, ob sie mich riechen oder schmecken wollen, deren Lust zeitlich taxiert wird, deren Lust Grenzen kennt, emotionale Grenzen, sexuelle, finanziell markierte Grenzen, Frauen, die leicht verfügbar sind, die für Geld verfügbar sind, die ich nicht verführen darf, die ich nicht erobern kann, sondern lediglich kaufen muss, das erregt mich nicht, noch dazu Frauen, die sich nicht erregen lassen wollen von mir, bei der die Asymmetrie der Lust und der Befriedigung vorgegeben ist, das langweilt mich, das ist mir fremd, mehr noch: Ich selbst wäre mir fremd darin.

Ich schaute als Frau zu, wie meine Freunde andere Frauen anschauten, in ihrem Blick sah ich mich selbst als Objekt und schaute zugleich selbst die Frauen an. Ich betrachtete die anderen Frauen und betrachtete mich durch die Augen der Jungs neben mir. Was würde dieser Blick aus mir machen? Was würde die Erfahrung aus meinen Freunden machen?

Das verunsicherte mich. Was, wenn die Jungen meines Alters regelmäßig hierher fuhren? Was, wenn sie alles schon erlebt hatten, was ich noch auszuprobieren hoffte? Was, wenn ihre Sexualität durch den Sex mit Prostituierten geprägt worden war? Wie erregend würden sie dann noch unbezahlten Sex finden? Wie erregend mich? Ich hatte vorher nie darüber nachgedacht. Die Jungen um mich herum entdeckten Lust und Sex mit uns zusammen, dachte ich, wie naiv schien mir das auf einmal, die sprachlose Unerfahrenheit, die uns gemeinsam war, eine Illusion, die hier zerbrach.

Ich versuchte den Blick von Sven und Markus zu meinem zu machen, überlegte, wie ich mich fühlte, wenn ich die Frauen anschaute, als wären sie für mich da, als liefen sie vor mir auf und ab, als buhlten sie darum, mich als Kundin gewinnen zu können, als würde ich sie nehmen können, als stiegen sie zu mir ins Auto, um mir einen zu blasen oder sich von mir ficken zu lassen.

Doch es gelang nicht. Zwischen all diesen Blicken und Perspektiven verschwand ich, versank als Person, deren Lust sich weder in der einen noch in der anderen Position wiedererkennen konnte.

Wie lange wir da unten kreisten, weiß ich nicht mehr. Aber ich weiß, wie das Kopfsteinpflaster noch nachhallte, als wir schon längst wieder auf einer asphaltierten Straße nach Hause fuhren.

*

Daniel war inzwischen ganz allein. Die Ausgrenzung in der Klasse hatte nicht nachgelassen. Was so plötzlich wie unerklärlich begonnen hatte, seine Ablehnung, hatte sich verfestigt, aus dem sadistischen Spaß an der Demütigung war ausschließende Gleichgültigkeit geworden. Daniel war unsichtbar geworden. Wo immer sich spontan Gruppen oder Kreise bildeten, nie gelang es ihm dabei zu sein, jede Beiläufigkeit der sozialen Begegnung ging ihm ab, nie konnte er sich nur dazugesellen, nicht in der Raucherecke an der Rückseite des Oberstufengebäudes, nahe den Fahrradständern, nicht bei Konzerten der Schulband in der Aula, nicht einmal beim Sport, wo er eigentlich durch seine Physis und Kondition besonders beliebt hätte sein müssen. Er war »out«, wie ein Unberührbarer, als ob alle fürchteten, sich anzustecken, ohne dass jemand hätte benennen können, woran er denn krankte.

Wir saßen nach wie vor neben ihm. Die direkten Attacken hatten nachgelassen, aber die Klassenlehrerin hielt es immer noch für sicherer, dass er eingerahmt war. Wir passten auf ihn auf. Und so schien es naheliegend, dass Daniel uns eines Tages ansprach. Er habe Geburtstag und er wolle uns, Johannes und mich, einladen. Wir waren völlig verblüfft. Wir hatten nichts gegen Daniel. Er tat uns leid. Aber wir waren auch keine Freunde. Wir waren lediglich abgestellt worden, ihn zu beschützen. Wie konnte er das missverstehen? Dachte er wirklich, wir seien Freunde? Wir sahen uns nie. Verabredeten uns nie. Und nun wollte er uns einladen zu seinem Geburtstag.

Es brauchte einige Tage bis wir begriffen, dass niemand sonst eingeladen war. Wie auch? Daniel hatte ja niemanden. Wen hätte er auch einladen sollen? Wo ihn alle anderen mieden. Es war nur realistisch, und es sprach auch für ein vernünftiges Maß an Selbstachtung, dass er nicht um jene buhlen wollte, die ihn schlecht behandelten. Daniel erläuterte uns den Abend, wie er ihn sich vorgestellt hatte. Er wollte uns ins Kino einladen, und danach sollten wir zusammen essen. Bei ihm zu Hause, bei seinen Eltern, neben der Gärtnerei. Nur wir drei.

Wir kannten das Haus. Wir hatten dort schon wunderbare Geburtstagsfeste gefeiert. Früher. Als noch alle gerne zu ihm gingen. Es schien unendlich lange her. Eine soziale Ewigkeit. Vielleicht wollte er uns zu sich nach Haus einladen, weil ihn schon lange niemand mehr besucht hatte. Wir hatten darüber nie nachgedacht. Nie überlegt, was es hieß, keine Freunde mehr zu haben. Vielleicht wollte er uns zu sich einladen, weil seine Mutter darauf drängte, weil sie gerne teilhaben wollte am Leben ihres geliebten Sohns, weil sie ihn und uns verwöhnen wollte an jenem Tag.

All das frage ich mich erst heute. All das frage ich mich erst nachträglich. Als es zu spät war, als Daniel schon tot war, als ich davon erfuhr, dass er sich das Leben genommen hat, war dieser Geburtstag und unsere Reaktion auf die Einladung das Erste, woran ich denken musste, das Erste, was mir voller Beschämung und Entsetzen über mich selbst einfiel.

Aber damals wollten wir einfach nicht zu Daniel nach Haus. Es mochte gemein sein, es mochte ungerecht sein, wir wussten beide, Daniel konnte nichts für seine Einsamkeit, aber wir wollten einfach nicht mit zu ihm. Wir sprachen uns ab. Johannes und ich. Wir gestanden uns, dass wir beide diesen Abend fürchteten, wir fühlten uns ausgeliefert einer Nähe, die an Betrug grenzte, weil sie nicht wahr war.

Wir *waren* ja nicht mit ihm befreundet. Wir waren einfach nur für ihn da, weil niemand sonst es war. Wir waren ausgewählt worden, nicht, weil wir ihn besonders mochten, sondern weil wir ihn nicht abscheulich fanden, weil sich an uns keiner der anderen herangewagt hätte, weil wir, so die Annahme der Lehrerin, beruhigend wirkten. Wir taten das gern. Es war in Ordnung. Dafür waren wir ja auch als Klassensprecher gewählt worden. Aber es fühlte sich trotzdem falsch an, wenn wir nun auf einmal mehr fühlen sollten als wir fühlten. Zwischen Freundlichkeit und Freundschaft bestand doch ein Unterschied, zwischen Mitleid und Zuneigung auch. Ein wenig fühlten wir uns auch ausgenutzt in unserer Gutmütigkeit. Wir würden jemanden beschützen gegen gemeine Anfeindungen, das war unsere Pflicht. Aber mit wem wir außerhalb der Schulzeit befreundet waren, das mussten doch wir selbst entscheiden dürfen, das hatte doch etwas mit Lust zu tun.

Wir sagten Daniel, dass wir gerne mit ihm ins Kino gingen, aber zu ihm nach Hause, das wollten wir nicht. Wir malten es uns schrecklich aus, nach dem Kino allein bei ihm zu sitzen, in seinem Elternhaus, zu dritt. Das schien zu intim. Wir malten uns aus, wie seine Mutter uns voller Herzlichkeit begrüßen würde und wie peinlich uns das wäre.

Ich weiß nicht, ob die Kränkung, die wir ihm mit dieser Absage bereiteten, größer war als alles, was ihm die anderen Mitschüler im Verlauf der letzten Jahre angetan hatten. Er trug es, wie alles andere auch, mit der traurigen Gefasstheit desjenigen, der sich auf verlorenem Posten weiß. Am Ende schauten wir zusammen einen James-Bond-Film an, von dem ich nichts mitbekam, weil ich noch nie einen James-Bond-Film gesehen hatte und das Genre nicht verstand, und weil ich den ganzen Film darüber nachdachte, wie entsetzlich verlogen und verzweifelt die Situation war.

Anschließend lud uns Daniel in die düstere Pizzeria gegenüber vom Bahnhof ein. Ich weiß noch genau, wo wir saßen. An einem kleinen Tisch, direkt neben dem Eingang, mit dem Blick zur Landstraße. Das wechselnde Licht der Ampel an der Kreuzung strahlte zu uns hinein und gab, blinkend, einen dreitaktigen Rhythmus vor. Da saßen wir, drei Teenager, Daniel, Johannes und ich, und sprachen über James Bond, weil das einfacher schien als über das zu sprechen, was in uns vorging. Daniel freute sich. Das strahlte sein Gesicht, aber auch sein ganzer Körper aus. Auf einmal war wieder die Kraft von früher in ihn gefahren, auf einmal konnte er uns wieder anschauen, genoss den Abend mit uns, und doch war da noch diese Vorsicht, als ob er innerlich die Schultern angezogen hätte aus Angst, enttäuscht zu werden, von uns, den Einzigen, die dem, was Freunde waren, zumindest nahe kamen. Und er schämte sich ein wenig, weil er wusste, dass wir so richtige Freunde eben doch nicht waren.

Johannes und ich nun schämten uns, weil dieser Junge all unsere Zuneigung verdient hätte, weil er uns leidtat, weil er so unbedingt Freunde brauchte und wir es trotzdem nicht sein wollten. Das, was uns an ihn band, war letztlich die Gemeinheit der anderen.

Am Ende des Abends standen wir draußen vor der Pizzeria und verabschiedeten uns, wir, froh, dass es vorbei war, Daniel, froh, dass es gewesen war. In dieser Erleichterung entstand zum ersten Mal echte Nähe, und so blieben wir, lachten und redeten, frei von aller Traurigkeit, wir standen länger draußen, als wir drinnen gesessen hatten, ein lichter Moment wie ausgeschnitten von all den anderen Erfahrungen, die Daniel sonst machte, als ob es die Geschichte seiner Ausgeschlossenheit nicht gäbe, ein Geschenk an uns alle. Dann stiegen wir auf die Räder und fuhren nach Haus. Es war das letzte Mal, dass ich ihn lachen gesehen habe.

*

Die schönsten Momente meiner Kindheit waren die, die mit Musik verbunden waren. Nicht mehr nur in der Schule, in Kossarinskys euphorisch-strenger Unterweisung, sondern auch live, im Konzert. Ich verschlang alles. Wenn die Türen von den Saaldienern geschlossen wurden und das Licht abgedunkelt war, wenn dieses leicht schwirrende letzte Probieren verklang, dann war ich glücklich wie nie.

Für meine Mutter schien es keine unkindliche Musik zu geben. Ich durfte alles hören: Mahler und Bruckner, was ich schon aus der Schule kannte, aber nun auch Schönberg, Nono, Henze, ich saß neben ihr mit nassgeschwitzten Händen vor Aufregung und Freude in den Sesseln des Konzertsaales oder der Oper und akzeptierte sogar, dass ich mich dafür fein anziehen musste und dass gelegentlich Mozart mit dieser unerträglichen Heiterkeit auf dem Programm stand.

Ich hörte Leonard Bernstein, Giuseppe Sinopoli, Michael Gielen, Sergiu Celibidache und Herbert von Karajan; wenn ich Glück hatte, dirigierten sie ihre eigenen Orchester, und Alfred Brendel, Swjatoslaw Richter und Yitzhak Perlman und wer immer sonst in die Stadt kam. Nur Opern mochte ich nicht. Beide Versuche, mich auch für Opern zu begeistern, waren spektakulär gescheitert: Meine Eltern hatten meinen Bruder und mich, schon als wir recht klein waren, mal mit zu »Carmen« genommen, was nur zu tränenreichem Gelächter und unmöglichem Benehmen geführt hatte, weil wir die Gassenhauer mit albernen Texten kannten und uns überhaupt nicht wieder einkriegen konnten, dass erwachsene Menschen in feinen Roben diese lustigen Dinger, ohne mit der Wimper zu zucken, anhören konnten. Später gab es dann noch einen zweiten Anlauf mit »Turandot«. Aber es funktionierte nicht.

Kurioserweise irritierte mich alles *campe* daran, der Kitsch, die überzeichneten Gesten, schlimmer noch die überzeichneten Gefühle, alles schien mir zu laut, zu groß, zu hysterisch, vielleicht lag es auch an den beiden Opern, weder Bizet noch Puccini mochte ich besonders, bis heute nicht. Letztlich störte mich, dass da Menschen so unmotiviert und aufgeregt zu singen anfingen, anstatt einfach einen geraden Satz zu sagen. Die erste Oper, die mir gefiel, Jahre später, war Benjamin Brittens »Peter Grimes«. Und noch heute sind mir Oratorien oder konzertante Opernaufführungen, bei denen diese ganz eigene Konzentration auf die Musik entsteht, die liebsten.

Kossarinsky war inzwischen zu Jazz übergegangen. Ich nehme an, weil das auf dem Lehrplan stand. Vielleicht auch, weil das in dem Moment, in dem Musik zum Wahlpflichtfach wurde und mit dem entspannteren Angebot der Kunstlehrer in Konkurrenz stand, attraktiver klang. Auch das vermittelte er mit Leidenschaft, aber erst als es im Jahr darauf an die Zwölftonmusik und Schönberg ging, war er wieder in seinem Element. Aber ich begann nun auch diese Musik live zu hören, immer mit Kossarinskys Schulung im Ohr. In der »Fabrik« hörte ich Sonny Rollins, Dave Brubeck, Egberto Gismonti und, nach meinem Abitur, in einem seiner letzten Konzerte, Chet Baker, der so leise sang und spielte, als wollte er schon Abschied nehmen.

Die Musik von Strawinsky, György Ligeti und Alfred Schnittke habe ich über das Ballett von John Neumeier kennengelernt. Begonnen hatte alles mit einer Inszenierung von Prokofjews »Romeo und Julia« mit Kevin Haigen und, wenn mich nicht alles täuscht, Marianne Kruse als ersten Solisten. Mit Neumeier und seiner Compagnie eröffnete sich eine neue Welt. Das, was in der Literatur oder im Film für mich nicht zu finden war, was weder in der Fiktion noch schon gar in der Wirklichkeit auftauchte, blätterte sich auf in Gesten und Bildern, in Geschichten und Körpern der Tänzer.

Shakespeare habe ich vertanzt gesehen, bevor ich ihn gelesen habe. *Wie es euch gefällt*, *Der Widerspenstigen Zähmung*, *Othello*, *Sommernachtstraum*, alle Stücke habe ich in der Staatsoper gesehen, der ganze Reigen Shakespeare'scher Gefühlsverwirrungen erschloss eine Vielfalt an Empfindungen und Verhältnissen, die es sonst nicht gab, Frauen waren Männer, die Männer liebten, Frauen trugen, hielten, liebten Frauenkörper, Identitäten wechselten, Geschlecht wurde irrelevant, die Lust wandelte sich mit dem Objekt des Begehrens, und in der Sprachlosigkeit der vertanzten Musik schienen all die Leidenschaften wie Eifersucht, Missgunst, Zuneigung so viel eindeutiger.

Meine Vorstellung von Liebe als etwas Unverfügbarem habe ich aus dem *Sommernachtstraum*, wo der Zaubertrank den, der ihn trinkt, betäubt, erfüllt, anstiftet, bedingungslos, ja, blind zu lieben, ganz gleich, wer der oder die andere ist, wie er aussieht, wie sie zu einem passt. Und es stimmt doch, was uns Shakespeare da erzählt, dass wir die langen Ohren der Geliebten nicht erkennen, das weiche Fell nicht, das Störrische stört uns auch nicht, solange der Trank nur seine Wirkung behält und wir lieben, eben weil es geschieht, weil es uns erfasst, willenlos werden lässt oder nur noch wollend. Das, was bei Shakespeare der Trank ist, was alles auslöst, kann ein Blick sein, ein Wort, ein leichtes Nuscheln, ein weicher Akzent bei bestimmten Buchstaben, die Art, den Kopf leicht schräg zu halten, die sanfte Geste, einen heranjagenden Hund zu streicheln, was auch immer es auslöst, diese Liebe, die hält, solange der Trank wirkt, die alles andere unwichtig, überflüssig, unsichtbar macht, daran glaube ich bis heute, auch daran, wie der Trank seine Wirkung verlieren kann und auf einmal die andere doch verdächtig nach einem Esel mit großen Ohren auszusehen droht.

Der Generation an Solisten, mit der ich aufwuchs, die mich eingeführt hat in diese Welt, gehörten Ivan Liška, François Klaus, Kevin Haigen, Gamal Gouda und Coleen Scott, Chantal Lefèvre, Marianne Kruse an. Nach einer Weile ließ sich ahnen, wen Neumeier in welcher Rolle besetzen würde, Kevin Haigen schien stets die jugendlichen, unbeschwerten Figuren zu tanzen, die, die auch verwirrt werden konnten, die fehlgingen, die übermütig und unbändig sein konnten, François Klaus, mit seinem etwas größeren Körper die braveren, stabilen Rollen wie den Petrus in der »Matthäuspassion«, dessen Körper bei »und ging heraus und weinete bitterlich« wieder und wieder in der Mitte zusammenklappte, Ivan Liška dagegen kam immer etwas unnahbar daher, elegant, aber unnahbar.

Mit der Zeit entdeckte ich nicht nur Neumeiers Vorlieben, sondern meine eigenen. Besonders mochte ich einen großen, afroamerikanischen Tänzer, Ronald Darden, der eine sanfte Ruhe ausstrahlte, die alles überragte. Wenn er nur die

Bühne betrat, wollte man den Atem anhalten. Alles sollte still werden, wenn er tanzte. All die Aufgeregtheiten der anderen, all die innere Unruhe verflog, wenn seine sanfte Tiefe den Saal erfüllte.

Heute, wenn ich in Krisengebieten unterwegs bin und in unangenehme Situationen gerate, wenn ich sicherstellen muss, dass andere mich nicht als fremd oder bedrohlich empfinden, wenn ich Vertrauen ausstrahlen muss, dann denke ich mich manchmal in den Körper von Ronald Darden hinein: Dann suche ich diese Langsamkeit in mir, jene weit ausgebreiteten Arme, die alles aufnehmen, einnehmen, beschützen, seine tiefe Gewissheit, und hoffe, dass ich dieselbe Ruhe ausstrahle, die er hatte, eine Ruhe, die alle anderen ansteckte und zu versöhnen wusste.

Der Held meiner Jugend aber war Max Midinet. Er war schmächtiger als die anderen, fast mädchenhaft wie ein Halbreifling, man fragte sich, woher die Kraft in diesem Körper kam. Er passte nicht recht als männlicher Part, der Ballerinas zu heben oder tragen hat. Irgendetwas war anders an Midinet, immer stand er ein wenig abseits, in sich versunken, aber nie unkonzentriert, ausgestochen aus dem Geschehen, als ob er eine andere Zeitlichkeit hätte.

Er war der Iago in *Othello*, er war Christus in der *Matthäuspassion* und Merlin in der *Artussage*, für mich war er der Geschichtenerzähler (auch wenn das für die *Matthäuspassion*, in der übrigens der wunderbare Ronald Darden mit seinem geloteten Körper das Kreuz trug, nicht stimmt), er blieb immer über, er schloss die narrativen Fugen – und gehörte doch nie richtig dazu. Ich suchte ihn aus jedem Bild, aus jeder Szene heraus, als ob ich damit den archimedischen Punkt einer Handlung dingfest machen könnte, als ob ich durch seine Figur die Geschichte verstehen könnte.

Es war, als ob Midinet, dieser schmale, feine Tänzer, den kommentierenden Chor griechischer Dramen tanzte, nur leiser, weniger belehrend, mehr wie ein Evangelist oder ein Prophet, einer, der zu sprechen und zu deuten wusste, auch wenn er tanzte.

Merkwürdigerweise mochte ich Midinet auch deshalb, weil von ihm eine gewisse Zerbrechlichkeit auszugehen schien. Das ist natürlich falsch. Er war ein grandioser Tänzer. Aber stets blieb einem seine Körperlichkeit bewusst, Midinet strahlte keine glatte Eleganz aus wie Ivan Liška, keine Unbändigkeit wie Gamal Gouda, es war mühelos, wie er tanzte, und doch schien eine Verwundbarkeit durch, der Schmerz von etwas, das sich nicht benennen ließ, das aber nicht zu leugnen war, ihn umgab so eine Aura von Exil, in jeder Geste, jedem Schritt, jeder Drehung.

Viele Jahre nach meiner Schulzeit, als ich schon in einer anderen Stadt lebte und Max Midinet zu tanzen aufgehört hatte, sah ich ihn noch einmal. Er hatte ein kleines Antiquitätengeschäft, direkt hinter der Oper. Ich ging die paar Stufen hoch zu der gläsernen Tür und trat hinein, und da stand er auf einmal vor mir, der Tänzer, den ich Abend für Abend bewundert, dessen selbstbewusste Zerbrechlichkeit ich so geliebt hatte. Er war immer noch schmal und hager und hatte diese dunklen Locken. Ich habe nichts gesagt. Ich wusste nicht, ob er sich ausgestellt fühlen würde wie seine Antiquitäten, wenn ich ihn darauf anspräche, was er mir bedeutet hatte, dass es seine Art zu tanzen war, seine Figuren, die für mich Räume eröffnet hatten: dass es sich in dem »Dazwischen« auch leben lässt, dass es diese Figuren, die nicht recht passen, auch braucht, dass sie eine eigene Funktion erfüllen können, das verschob die ganze soziale Ordnung, die ich bis dahin kannte, das brach etwas auf, einen Freiraum, in den hinein ich wachsen würde.

Mit Max Midinet, seiner schmalen Anmutung, dieser fragilen und doch athletischen Körperlichkeit, die sich den Zuordnungen zu männlichen und weiblichen Rollen zu entziehen schien, zerbrach die heterosexuelle Welt mit ihren klar markierten Zonen, in denen Männer und Frauen sich zu bewegen und zu lieben hatten.

Wenig später las ich, dass Max Midinet gestorben war.

*

Als wir 16 waren, brach der Skandal aus, der uns signalisierte, dass Sexualität nichts ist, was einem allein gehört, dass sie benutzt werden kann, dass sie als Instrument der Denunziation taugt, dass sie, als Betitelung, erfunden oder wahr, Menschen sozial vernichten kann. Der »Fall Kießling« des Jahres 1984 entblößte, womit zu rechnen hatte, wer als homosexuell galt.

Soziale Ächtung und Benachteiligung von Homosexuellen gab es allenthalben, aber sie geschah selten vor unseren Augen. Noch immer überwachten Einheiten des Jugendschutzes die »Klappen«, Toiletten in öffentlichen Parks, in denen Schwule sich trafen, es gab noch »Rosa Listen«, auf denen Homosexuelle amtlich erfasst wurden. Die Bespitzelungspraxis von Schwulen und Lesben war aufgeflogen, als im Anschluss an eine »Gay-Pride«-Demonstration des Schwulen-und-Lesben-Verbundes im Juni 1980 Zivilbeamte aus einem VW-Bus heraus Fotos schossen und empörte Demonstranten die Filme verlangten. Die Zivilfahnder verweigerten die Herausgabe – und riefen uniformierte Polizei.[32] In der Folge wurde nicht nur bekannt, dass Homosexuelle in eigenen Karteien registriert wurden, sondern auch, dass einige Herrentoiletten mit Spiegelglasscheiben und eigenen Überwachungsräumen ausgestattet waren.

Von all diesen Auseinandersetzungen in der Stadt, in der wir lebten, hatten wir nichts mitbekommen, von der Selbstverständlichkeit, mit der staatliche Institutionen Homosexuelle nach wie vor wie kriminelle Elemente behandelten, wussten wir nichts, von den Protesten der Schwulen- und Lesbenbewegung gegen diese Formen der Diskriminierung auch nicht. Ich musste das nachlesen. Ich lebte in derselben Stadt, aber von den Razzien, den Überwachungen, ja, von der lebendigen, aktivistischen Schwulenszene, die zeitgleich existierte, wusste ich nichts. Vielleicht weil ich zu jung war, vielleicht weil Homosexuelle so marginalisiert wurden, dass Geschichten über ihre Diskriminierung es nicht in die klassischen Nachrichten schafften.

Bei der Durchsicht des Materials aus den Archiven über Homosexualität in den siebziger und achtziger Jahren fielen mir nicht nur Namen von Aktivisten der Schwulenszene auf, die heute in Berlin Freunde und Kollegen sind, die eine lange Geschichte der politischen Auseinandersetzung um die Rechte von Menschen haben, die so begehren wie ich, sondern es fiel auch auf, wie liberal die Liberalen zu dieser Zeit noch waren. Zahlreiche Anfragen, Beschwerden, Eingaben von Mitgliedern der FDP wandten sich gegen die Diskriminierung von Schwulen und Lesben.

Doch erst mit der »Kießling-Affäre«, erst als ein hochrangiger Militär Opfer von eben jenem Ressentiment wurde, das weit weniger prominente und offen Homosexuelle alltäglich traf, erst als Kießling sich zu wehren begann, gegen die Behauptung, er sei homosexuell, aber auch gegen die Behandlung, die auf diese Betitelung durch das Verteidigungsministerium folgte, wurden wir aufmerksam.

Was war geschehen?

Die Neigung zu Büchern, nicht zu Knaben, war es, die ihm zum Verhängnis wurde. Und die Neigung seiner Umgebung zu Gerüchten.[33] Der Vier-Sterne-General Günter Kießling erregte, wie sich erst nach seiner öffentlichen Demütigung und Entlassung aufklären ließ, bei seinen Kollegen der NATO und der Bundeswehr zunächst dadurch Verdacht, dass er als Vielleser in seiner Dienstvilla in Nimy, Belgien, vornehmlich in »einem einzigen Zimmer« lebte, »der mit Büchern vollgestellten, holzvertäfelten Bibliothek«, und sich den üblichen Vergnügungen statusversessener Generäle (»wie Golfspielen«) entzog.[34]

Ein Einzelgänger schien Günter Kießling seinen Kollegen zu sein, ein gläubiger Protestant und Intellektueller obendrein, der nach seinem Dienst eine akademische Karriere anstrebte. Damit galt er als Fremdkörper im militärischen Milieu. Das reichte schon. Das erzeugte Misstrauen. Und aus dem Misstrauen erwuchs das Gerücht: Kießling sei »händchenhaltend« mit einem Mann gesehen worden. Später wurde diese Behauptung noch ergänzt durch einen Admiralsarzt, der behauptete, Kießling habe bei seiner medizinischen Untersuchung »unter dem Bademantel an sich herummanipuliert«.[35]

Homosexualität war zu diesem Zeitpunkt, 1983, in der Bundesrepublik nicht mehr strafbar, aber taugte immer noch als Vehikel der Denunziation. Und die politisch-juristische Ambivalenz innerhalb der Bundeswehr existierte nach wie vor: Gemäß den Tauglichkeitsbestimmungen der Bundeswehr, die sich dem reformierten Paragraphen 175 angepasst hatten, galten noch jene Kandidaten für den Wehrdienst als ungeeignet, bei denen »die Homosexualität zu einer echten Perversion degeneriert« sei. Was genau das heißen sollte, war nicht definiert. Die Bundeswehr argumentierte mit ihrer vermeintlichen Aufgabe, andere Rekruten, die ihrer Verantwortung unterstünden, vor Zudringlichkeiten homosexueller Soldaten schützen zu müssen.

Für den höheren Dienst galten Homosexuelle nach einer Grundsatzentscheidung des ersten Wehrdienstsenats des Bundesverwaltungsgerichts von 1979 als ungeeignet, weil »bei einem homosexuell veranlagten Vorgesetzten«, so das Gericht, »die Gefahr (besteht), dass er, ohne sich dessen vielleicht stets bewusst zu sein, in seinen Untergebenen nicht nur die seiner Fürsorge und Befehlsgewalt unterworfenen Soldaten, sondern potentielle Sexualpartner sieht«.[36]

Und so reichte das bloße Gerücht über General Kießling, um binnen weniger Monate seine Karriere zu ruinieren.

Zwischen Juni und Dezember 1983 wurde aus Tratsch erst eine Aktennotiz, dann eine schäbige, unzureichende »Ermittlung« in zwei Kölner Schwulenlokalen (dem »Tomtom« und dem »Café Wüsten«), in denen ein Foto des Generals herumgezeigt wurde, auf dem seine Uniform retuschiert worden war und auf dem einer der Befragten meinte, jemanden zu erkennen, den er vor zehn Jahren mal gesehen habe, ein anderer meinte, das auf dem Bild könnte »Jürgen« sein, »ein Wachmann bei der Bundeswehr«. Daraus wurden angeblich stichhaltige Belege (»er wurde in der Kölner Homo-Szene eindeutig identifiziert«), und schließlich folgte seine Entlassung.

Zunächst, im September 1983, konfrontierte Wörner seinen General mit den Behauptungen und schlug Kießling vor, sich 28 Wochen lang krank zu melden und ihn dann im März 1984 mit dem Großen Zapfenstreich zu entlassen. Kießling bestritt, homosexuell zu sein, bestritt auch, jemals in einem dieser beiden Lokale in Köln gewesen zu sein, ließ sich nach vier Tagen Bedenkzeit allerdings auf Wörners Angebot ein – im Wesentlichen, um einen öffentlichen Skandal und damit Schaden für das Image der Bundeswehr zu verhindern. Kießling ging davon aus, binnen kurzer Zeit würden ihn gründliche Ermittlungen ohnehin entlasten.

Doch trotz interner Kritik an der schwachen Beweislage forcierte der Militärische Abschirmdienst (MAD) mit seinen »Ermittlungen« nur eine Bestätigung der früheren Ergebnisse und warnte nun vor Kießling. Homosexualität galt als Gefährdung der Bundeswehr (»Der geschilderte Sachverhalt ist nach ZDv 2/30 VS-NfD Teil C Anlage C 1 Nr. 3 ein Sicherheitsrisiko«[37]), weil ein homosexueller General vermeintlich erpressbar gewesen wäre. Für Verteidigungsminister Manfred Wörner musste ein (vermeintlich) homosexueller General aus dem aktiven Dienst entfernt werden, er durfte herabgesetzt und diskriminiert werden, weil die Angst des Generals vor öffentlicher Bloßstellung und Diskriminirung oder gar Entlassung so groß wäre, dass er sich, so die Unterstellung, hätte von ausländischen Diensten erpressen lassen können.

Der Militärische Abschirmdienst bemerkt dazu: »Dabei ist erschwerend zu berücksichtigen, dass General Dr. K. seine homosexuelle Veranlagung bisher bestritten hat. Durch dieses Bestreiten und der dadurch möglichen Erpressbarkeit wiegt das Sicherheitsrisiko schwer.«[38] Damit also nicht andere ihn erpressen, erpressen wir ihn lieber selbst. Im Dezember revidierte Wörner seine frühere Entscheidung und entschied nun eine frühzeitige Entlassung Kießlings Ende Dezember.

Die Paradoxie der ganzen Episode bestand darin, dass es Wörner selbst war, der sich und die Bundeswehr mit diesem Schritt erpessbar gemacht hatte. Nicht Kießling war erpressbar, homosexuell oder nicht, sondern der Verteidigungsminister, denn nur er schien die Homosexualität für ein Problem zu halten. Hätte Wörner wirklich die Bundeswehr schützen wollen, hätte er Kießling oder jeden anderen vermeintlichen oder echten Homosexuellen nur offen und öffentlich in der Bundeswehr willkommen heißen müssen – wären sie in der Armee als Homosexuelle akzeptiert worden, hätte es auch keinen Grund für ausländische Dienste gegeben, sie zu erpressen.

Womit Verteidigungsminister Wörner nicht gerechnet hatte: Kießling wehrte sich, und zwar zuletzt, als man ihn bereits entlassen hatte, auch öffentlich. Er sei nicht homosexuell, er kenne diese Lokale nicht und sei auch noch nie dort gewesen. Kießling wehrte sich nicht nur gegen eine Behauptung, die er für schlicht falsch hielt (seine vermeintliche Homosexualität), er wehrte sich gegen die mangelnden Beweise, die fehlende Möglichkeit, sich mit den Behauptungen auseinanderzusetzen, die schlechten Ermittlungen und, nicht zuletzt, die fehlende Grundlage für seine Entlassung, da die Sicherheitsinteressen der Bundesrepublik nicht berührt gewesen seien.

In einem Interview erklärte Kießling: »Glauben Sie mir: Es geht mir nicht nur um meine Rehabilitierung, es geht mir darum, dass so etwas in einem Rechtsstaat nicht passieren darf.«[39] Als schließlich in der Öffentlichkeit und im Bundestag nicht nur die dürftige »Beweislage«, sondern auch die

Argumentation hinterfragt wurde, nach der Homosexualität als Sicherheitsrisiko galt, beendete der damalige Regierungschef Helmut Kohl die Affäre und ließ Kießling im Februar 1984 in den aktiven Dienst zurückversetzen, aus dem er dann schließlich im Verlauf der Jahres 1984 ehrenhaft und mit Großem Zapfenstreich in den Ruhestand ging.

Das ist lange her. Aber die Logik der sexuellen Denunziation und die mitunter denunziatorischen Versuche, sich gegen die Denunziation zur Wehr zu setzen, existiert noch immer. Genau zwanzig Jahre nach der Kießling-Affäre, im Jahr 2004, suchte die baden-württembergische CDU die Nachfolge für den abgetretenen Ministerpräsidenten Erwin Teufel zu regeln. Zur Wahl standen Günther Oettinger und Annette Schavan. Schnell kursierte das Gerücht, die unverheiratete, kinderlose Schavan sei lesbisch. Und noch immer taugt es dazu, jemanden in die Defensive zu drängen, noch immer meinen Menschen, sich wehren zu müssen gegen etwas, was sie einfach als falsche Tatsachenbehauptung abtun könnten.

Annette Schavan reagierte und sprach von »Verleumdung«, von »Rufmord«, es sei »schäbig« und »absurd«. In Wahrheit ist es »schäbig« und »absurd«, so zu tun, als sei Homosexualität ein Delikt, ein Vergehen, das zu unterstellen einem »Rufmord« gleichkäme. Es ist ein Kategorienfehler, Sexualität überhaupt in moralischen Begriffen zu verhandeln.[40]

Es ist nicht »gut« oder »schlecht«, homosexuell zu sein, es *ist*. So wie es auch kein moralisches Vergehen ist, heterosexuell, transsexuell oder bisexuell zu sein, sondern es *ist*. Es ist *eine*

Form des Liebens, angeboren oder erworben, angenommen oder gewählt, wechselnd oder beständig, das spielt überhaupt keine Rolle, weil die vielfältigen Arten des Begehrens für normative Fragen keine Rolle spielen. Es macht mich nicht unsicher oder sicher, nicht schamhaft oder stolz, die Tatsache selbst ist eine Tatsache, sonst nichts.

Ich bin glücklich in meinem Leben, wie ich es mir nie hätte vorstellen können, ich möchte nichts anderes sein, nicht anders begehren, als ich begehre, ich freue mich an dieser Art zu lieben – aber nicht, weil sie moralisch besser oder schlechter wäre als etwas anderes.

Wenn mir jemand unterstellt, ich sei heterosexuell, bin ich nicht gekränkt oder beglückt, es ist so, wie wenn man mir unterstellte, ich sei Linkshänderin, was ich auch nicht bin. Es gibt Kontexte, in denen diese Eigenschaft, rechtshändig zu sein, eine praktische Rolle spielt: beim Cellospielen beispielsweise, beim Kauf eines Füllfederhalters, aber es ist eben keine moralische Kategorie. Es gibt Kontexte, in denen diese Eigenschaft eine politische Rolle spielt: Sollte es plötzlich Umschulungsmaßnahmen geben, bei denen Rechtshänder von rechts auf links getrimmt würden, aber da schreibt das soziale Umfeld dieser Eigenschaft eine Bedeutung zu, erfährt eine Eigenschaft eine Konnotation, die Rechtshänder selbst nicht definiert haben.

Annette Schavan hätte antworten können: »Ich bin nicht lesbisch, aber auch als lesbische Frau wäre ich eine bessere Ministerpräsidentin als Günther Oettinger …« Sie hätte auf den erfolgreichen Hamburger CDU-Bürgermeister Ole van

Beust verweisen können, dessen offene Homosexualität auch bedeutungslos war für die Ausübung seines Amtes. Sie hätte erklären können, dass, wer glaubt, noch mit Gerüchten über Sexualität jemanden diffamieren zu können, nur sich selbst diffamiert. Sie hätte fragen können, warum das relevant sein sollte, welche Art Sex Günther Oettinger praktiziert, wurde ja auch nicht debattiert.

Aber im Jahr 2004, zwanzig Jahre nach dem Fall Kießling, galt Homosexualität, zumindest innerhalb der CDU in Baden-Württemberg, immer noch als »rufschädigend«.[41]

*

Es war eine große Hochzeit, zu der ich eingeladen war und auf die ich mich gefreut hatte. Ein guter Freund heiratete. Die feierliche Zeremonie war vorüber, und nun strömten wir alle, die wir angereist waren, um das Glück unseres Freundes zu feiern, in einen schönen, lichtdurchfluteten Saal zum Hochzeitsessen. Ich lebte inzwischen offen schwul, dass ich Frauen liebe, war kein Geheimnis, den Wandel meines Begehrens von Männern zu Frauen hatten meine Freunde miterlebt und nachvollzogen, wie einen Umzug, als wäre ich aus einer Wohnung in eine andere, aus einem Viertel in ein anderes gezogen, mit gewisser Neugier an der neuen Gegend, wie ich mich in ihr zurechtfände, aber ohne viel Aufhebens.

Zu dem Fest war ich mit meiner besten (heterosexuellen) Freundin gegangen. Wir kennen uns so lange und innig, dass wir für Außenstehende wie ein Paar wirken, ein Umstand, den meine beste Freundin keineswegs peinlich oder beunruhigend, sondern ausgesprochen vergnüglich zu finden scheint. Sie macht auch keinerlei Anstalten, das Missverständnis aufzuklären. Einmal, als sie für eine Weile in meiner Wohnung in Berlin wohnte, sprach eine Nachbarin, die über neunzigjährige Frau Engel, sie an und fragte, ob sie bei »der Frau Emcke« wohne. Als sie bejahte, fragte Frau Engel: »Ja, und sind Sie und die Frau Emcke denn verheiratet?« (die Eingetragene Partnerschaft gab es schätzungsweise seit gerade mal einem halben Jahr), woraufhin meine beste Freundin antwortete: »Na ja, quasi.«

Als »quasi« verheiratetes Paar gingen wir also zum Eingang des Saals, wo die Tischordnung für das gesetzte Essen aushing. Die Gastgeber hatten sich unglaubliche Mühe gegeben, dieses Fest nicht nur für sie selbst, sondern auch für ihre angereisten Gäste und Freunde schön zu gestalten, alles war bis ins Detail geplant und durchdacht, mit Liebe und Geschmack gestaltet, und wir freuten uns auf das Essen und die neuen Menschen, die wir kennenlernen sollten.

Als wir an den uns zugewiesenen Tisch kamen, stellten wir fest, dass meine beste Freundin und ich direkt nebeneinandersaßen. Wir schauten uns um. An allen anderen Tischen, an denen die Gäste nach und nach Platz nahmen, waren Männer neben Frauen gesetzt, nur wir, als Einzige, hatten keinen Mann zwischen uns. Und dann kamen die anderen, die an diesen Tisch sortiert waren. Minutenlang schaute ich mir sprachlos einen nach dem anderen an, nicht ganz sicher, ob der optische Eindruck zutraf. Es war kaum zu glauben: wir saßen an dem »Schwulen-Tisch«.

Wir hockten, leicht fassungslos, da. Ich fragte meine Gegenüber ungläubig, ob ich das richtig sehen würde, dass dies der »Tuntentisch« sei. Ein weiteres schwules Paar, eine bisexuelle Frau, und eine Unentschlossene. Ich glaube, eine heterosexuelle Verwandte war auch noch beigemischt worden. Gewiss, nicht alle an dem Tisch waren homosexuell. Aber niemand, der unter den Gästen dieses Festes schwul war, saß *nicht* an diesem Tisch. Für eine Weile reichte das als Gesprächsgrundlage. Wenn sexuelle Praktiken das Kriterium waren, um Tischordnungen aufzustellen, was sagte uns das über die anderen Tische? Was, wenn auch alle anderen Tische so zusammengestellt worden waren? Wir schauten herum und malten uns aus: die sechs dort, am Nachbartisch, waren die, die Analsex präferierten, die dort, zwei Tische weiter, standen auf Rollenspiele, die dort zog es zu Huren, die nächsten fesselten gern ...

Vermutlich war es »gut gemeint«, vermutlich wollten die Gastgeber zeigen, wie »tolerant« sie sind, gewiss hatten sie sich besondere Mühe gegeben. Aber wer möchte mit jemandem befreundet sein, der einen »toleriert«? Wer möchte mit jemandem befreundet sein, der, nach vielen Jahren der Freundschaft, glaubt, das entscheidende Merkmal meiner Person sei meine Sexualität? Wie gut gemeint wäre es gewesen, hätte es einen solchen Tisch für Schwarze gegeben? Ein Fest, auf dem vor allem Weiße sind, und die einzigen Schwarzen, die es gibt, sitzen an einem Tisch? Weil es nicht genug Schwarze gibt, wird die Runde noch aufgefüllt durch ein, zwei Latinos und Weiße, die es nicht schlimm finden, für schwarz gehalten zu werden? Jedem wäre sofort klar gewesen, dass das nicht geht.

Selten habe ich mich derart schwul gefühlt wie an jenem Abend. Die Tischordnung offenbarte einen Blick auf uns, der verdinglichte. Es spielte keine Rolle, ob meine Sexualität für mich das entscheidende Merkmal meiner Individualität ist oder nicht (ist sie nicht), ob ich die gängigen Klischees und Normen zu dekonstruieren und zu unterwandern weiß, es war irrelevant, was ich sonst hätte gemein haben können mit den anderen Menschen an meinem Tisch (nicht viel), meine Selbstwahrnehmung galt nichts an diesem Abend. Und wie andere, selbst Freunde, mich wahrnehmen, das wurde mir hier schmerzlich vorgeführt.

Ludwig Börne schrieb 1832 in seinem 74. Brief aus Paris: »Die einen werfen mir vor, dass ich Jude bin, die anderen verzeihen es mir, der dritte lobt mich gar dafür, aber alle denken daran. Sie sind wie gebannt in diesem Judenkreis. Es kann keiner hinaus.«[42] Da war Börne schon seit Jahren konvertiert.

So fühlte es sich an. Die einen werfen uns vor, wie wir begehren, die anderen verzeihen es uns, der Dritte lobt uns gar dafür, aber alle denken daran. Sie sind wie gebannt in diesem Sex-Kreis. Es kann keiner hinaus.

Es gibt unendliche Eigenschaften, aus denen sich ein Individuum bildet. Ich bin Philosophin und Journalistin, ich schreibe über Landschaften der Gewalt und bin Borussia-Dortmund-Fan, gebratene Zwiebeln und Antisemiten verursachen mir Brechreiz, ich mag Bars, vor allem, wenn sie düster und etwas abgefuckt sind, ich stromere gern durch verlassene Gegenden, am liebsten an Bahngleisen entlang, ich verstehe nichts von Wein, aber von Tee, ich nehme eine Dose losen Assam extra mit auf alle Reisen, meine Welt besteht aus Stimmen und Tönen und Geräuschen und vor allem aus Musik, ich bin ein akustischer Mensch, dafür sehe ich nichts, bei allzu bürgerlichen Veranstaltungen bedrängt mich eine unwiderstehliche Lust, mich danebenzubenehmen, ich bin glücklich, immer, sobald ich in New York ankomme, meine Familie ist ausgewandert und wieder eingewandert, und die Sehnsucht nach der Fremde als Heimat zieht sich durch mein Leben, ich sammele Fotografen und ihre Bilder, in meinem Freundeskreis und an den Wänden meiner Wohnung, ich liebe das Licht in Jerusalem, und aus allem hätte sich mehr Gesprächsstoff entwickeln lassen als aus der Art, wie ich begehre. Nun gut, die Vorliebe für Bars wäre vermutlich anschlussfähig gewesen.

Eine Weile lang konnten wir noch witzeln über die groteske Situation, aber nach und nach stieg dumpfe Wut auf. Am liebsten hätte ich irgendeine (heterosexuelle) Frau in den Toilettenkabinen verführt. Da wir auch noch den Tisch am Rand zugewiesen bekommen hatten, jenen, der dem Ausgang und den Toiletten am nächsten war, wäre das kein weiter Weg gewesen, und eine interessierte Frau wäre unter all den Hochzeitsgästen vermutlich auch zu finden gewesen. Nicht, dass ich das prinzipiell auf Hochzeiten täte, aber, Hannah Arendt hat recht: »Man kann sich nur als das wehren, als was man auch angegriffen ist«, und vor lauter ohnmächtigem Zorn wäre mir am liebsten gewesen, mich als das zu wehren, als was ich gedacht wurde, also genau das zu erfüllen, was man uns zuschrieb.

Wenn Sex das Einzige war, was uns definierte, dann wollte ich ficken.

Wir sind nicht nur, was wir sein wollen. Wir sind auch das, was andere aus uns machen. Homosexuell zu sein bedeutet nicht nur eine bestimmte Art des Begehrens, ich bin nicht nur homosexuell, weil mich Frauen erregen, weil ich gerne in ihren Armen aufwache, weil ich von einer Frau geliebt werden möchte, weil ich gerne ihre Brüste berühre oder ihren Schoß in den Mund nehme, weil ich den Geschmack von Frauen mag, ihre Haut, ihren Geruch, ihre Stimmen, ich bin nicht nur homosexuell, weil ich gerne um Frauen werbe, weil ich sie gerne nehme und mich von ihnen nehmen lasse, ich bin nicht nur homosexuell, weil ich so begehre, wie ich begehre, und liebe, wie ich liebe.

Nein, ich bin auch homosexuell, weil ich solche Geschichten zu erzählen weiß, Geschichten, in denen ich mir selbst entzogen werde, unter das Emblem der Sexualität gestellt werde, Geschichten, in denen ich markiert werde als etwas anders, Geschichten, die vermutlich alle schwul-lesbischen oder Transgender-Menschen kennen, Geschichten, in denen wir vorgeführt werden, vielleicht als pervers oder krank, vielleicht als hypersexualisiert oder als asexuell, als unmännlich oder unweiblich, in jedem Fall aber als andere. Wir kennen Geschichten der Ablehnung oder Ausgrenzung, Geschichten, in denen Restaurantchefs unseren Anblick nicht dulden wollen, in denen wir keinen Zutritt im Krankenhaus bekommen, wenn der Mensch, den wir lieben, dort liegt, wir kennen Gesetze, wie die Eingetragene Partnerschaft, die uns als Gleiche anerkennen sollen und tatsächlich die Ungleichheit nur festschreiben, wir kennen den Kontext, in dem uns erklärt wird, warum wir außer »schwer erziehbaren« keine fremden Kinder adoptieren dürfen, als seien die solch hoffnungslose Fälle, dass selbst Perverse wie wir sie nicht mehr weiter verderben könnten, Geschichten, in denen es keinen Platz für uns gibt oder einen Extratisch.

Ich bin homosexuell, mehr als es für mich bedeutet, weil es anderen mehr bedeutet, ich bin homosexuell, mehr und anders, als ich denke, weil andere verzerrte Bilder von Homosexuellen haben, verzerrte Begriffe, die eine lange Geschichte der Marginalisierung transportieren, ich bin auch homosexuell, weil es eine Geschichte der Repression und Kriminalisierung der Homosexualität gibt, ich bin auch homosexuell, weil es nicht einfach ist, diesen alten Bildern und Begriffen neue, eigene entgegenzuhalten, sie zu unterwandern, sie zu resignifizieren, ich bin auch homosexuell, weil es anscheinend nicht einfach nur Praktiken sein können, die wir leben, obgleich das in der Antike noch möglich war, ich bin auch homosexuell, weil es vielen nicht gelingt zu verstehen, dass es nur *eine* Sprache der Lust ist, eine, die mir entspricht, eine neben vielen anderen, ich bin auch homosexuell, weil Homosexualität ein Label ist, eine historische Kategorie, die aus einer Praxis einen ganzen Menschen erfindet, eine Identität, eine Lebensweise, so wie der Glauben nicht einfach eine religiöse Praxis mehr sein darf, sondern zum alles überragenden Merkmal einer ganzen Identität, eines Kollektivs werden musste, so kann ich nicht einfach begehren, sondern heutzutage *bin* ich homosexuell, ich bin Angehörige der Schwulen- und Lesbenszene, weil aus dem Ich immer wie-

179

der ein Wir gemacht wird und ich dieses Wir dann auch annehme als meins.

Wir hätten aufstehen und gehen sollen an dem Abend der Hochzeit, wir hätten diese Sitzordnung nicht akzeptieren sollen. So wären wir zu einem wirklichen Wir geworden, einem, das auch gemeinsam zu handeln weiß. Wir sind sitzen geblieben. Wir wollten unseren Freund nicht beschämen, wollten das schöne Fest nicht stören. Wenn wir gegangen wären, wie hätte das ausgesehen? Wir hätten ihm seinen Tag verdorben. So haben wir uns gefügt. Wir blieben und fühlten uns schäbig, als wären wir mit schmutzigen Kleidern zu einem feinen Fest gegangen. Die Scham, die der Gastgeber hätte empfinden sollen, blieb bei uns, und wir, die wir als Gruppe gemeint waren, fühlten uns vereinzelt.

Identitäten sind nicht einfach frei gewählt, Identitäten sind auch konstruiert, zugewiesen, zugeschrieben, sie kommen mit Beschränkungen daher, mit einer Geschichte der Kriminalisierung, mit Denunziation und Vernachlässigung, sie sind gekoppelt an Ressentiments, an Unwissenheit, an Überzeugungen, und diese werden zitiert und weitergereicht, in Witzen, hinter vorgehaltener Hand, in Verklemmtheit oder Verachtung, sie werden weitergereicht von Generation zu Generation, in Schulbüchern oder Adoptionsgesetzen, in Filmen oder Tischordnungen.

Ich kann das ablehnen, kann es lächerlich finden, ich kann meine Homosexualität für so bedeutungsvoll halten wie meine Rechtshändigkeit, aber es ändert nichts an der sozialen Wirklichkeit um mich herum. Ich kann versuchen, es zu sabotieren, es zu unterwandern, ich kann versuchen, diese Wirklichkeit zu ändern, aber bis ich sie geändert habe, gehört sie zu mir.

Was noch schlimmer ist: Die Etiketten, die doch so gerne alles erfassen und sortieren wollen, die Differenzen erfinden und einziehen wollen, verwischen andere Differenzen, sie sind zu groß, zu abstrakt, sie erklären bestimmte Eigenschaften für relevant und vergessen andere. Ein schwarzer, homosexueller Harvardprofessor, der englische Poesie des 18. Jahrhunderts lehrt, hat eine Vielzahl an möglichen Bezugspunkten, Nähen und Gemeinsamkeiten, und es sind andere als ein schwarzer, heterosexueller Fensterputzer in Chicago, der Bulls-Fan ist.[43]

Einmal unter den Labels erfasst, verlieren sich alle feinen Unterschiede, alle anderen Merkmale aus Herkunft oder Klasse, alle sozialen, ästhetischen, politischen, sexuellen Vorlieben werden negiert. All unsere kleinen irrationalen Leidenschaften, all unsere individuellen Empfindungen werden begradigt, all die Neigungen und Überzeugungen, die sich nicht aus unserer Herkunft erschließen, all die metaphysischen Intuitionen, die nicht in unserer Konfession beheimatet sind, all die Zuneigungen und Hinwendungen, die sich nicht erklären lassen, all das, was Leben heißt, wird so ausgeschlossen.

Gewiss, es ist ein Erfolg, dass Muslime jetzt auch mal in eine Talkshow eingeladen werden, oder Homosexuelle, oder Juden, aber bislang doch meist nur, wenn sie dann auch zu radikalem Islamismus, Sex oder Israel Stellung beziehen, es ist ein Erfolg, wenn homosexuelle Schauspieler in Kinofilmen oder Fernsehserien eine Rolle bekommen, aber bislang doch meist nur, wenn sie dann auch Schwule spielen oder beziehungsunfähige Frauen.[44] Türken und Lesben dürfen als Komikerinnen und Kabarettisten auftreten, sie dürfen über sich selbst Witze machen und manchmal auch über andere, ein wenig wie der Narr am Hofe des Königs, der Kritik in klug-witzigen Versen äußern durfte, aber einfach nur Türke sein und zum Thema Steuererhöhung sprechen, einfach nur Kabarettistin sein und den Afghanistankrieg in Frage stellen, lesbische Schauspielerin sein und die Rollen heißblütiger, heterosexueller Liebhaberinnen spielen, das geht dann doch nicht so leicht.

Der Mythos des Authentischen, den manche in guter Absicht behauptet haben, erweist sich als Falle, indem er die Vieldeutigkeit des Sehens negiert und die Verschiedenartigkeit innerhalb aller Identitäten reduziert auf die eine, »echte«, »wahre« Form, die uns nun einengt.

Und was heißt denn schon »echt«? Wie »echt« sind wir? Bin ich es? Wie ähnlich müssen wir einander sein? Was bedeuten all die anderen Hinsichten, aus denen wir uns als Individuen zusammensetzen, die anderen Bezüge, die uns konstituieren? Stimmt es wirklich, dass die Sexualität alle anderen Bezüge übertrumpft und vereinheitlicht? Lösen sich alle anderen Merkmale auf? Ist es nicht eine Lüge, dass Klasse, Herkunft, Geschlecht, Religion, all die anderen Marker der Identität, uns nicht unterscheiden? All die anderen Perspektiven, anderen Vorstellungen von Scham, Intimität, sozialer Zuversicht und Verletzbarkeit, die im Alltag unterschiedliche Formen von Anerkennung und Sichtbarkeit bedeuten können.

Es ist ein Fluch unserer Zeit, dass wir unter dem Banner des Authentischen, des essentiell Identitären unseren Glauben, unsere Herkunft, unser Begehren in kollektiven Konzepten verengen und verkleinern. Vielleicht mag das für die Dauer einer politischen Auseinandersetzung nötig sein. Aber nicht danach. Konzepte kollektiver Identitäten eignen sich als rhetorische Transportmittel politischer Kämpfe um rechtliche Anerkennung, aber nicht als Zuhause.

*

Wann ich das erste Mal die Musik von Dmitri Schostakowitsch hörte, weiß ich nicht mehr. Vielleicht im Radio, gemeinsam mit meiner Mutter, oder in einem Konzert. Ich kann mich an das Jahr nicht erinnern, aber irgendwann besaß ich eine Aufnahme von Schostakowitschs Klavierkonzerten Nr. 1, op. 35, und 2, op. 102. Es war eine Einspielung mit Eugene List. Schostakowitschs Sohn, Maxim, dirigierte das Rundfunksinfonie-Orchester der UdSSR. Ich erinnere mich lustigerweise noch an das Cover der Platte, vielleicht, weil ich schon damals Landkarten liebte, vielleicht auch nur, weil darauf Moskau mit einem roten Kringel markiert war, wie das Zentrum der Welt. Obgleich ich im Westen aufwuchs, gehörte antikommunistische Propaganda keineswegs zum pädagogischen Repertoire meiner Lehrer oder meines Elternhauses, trotzdem, eine Karte, in deren Mittelpunkt Moskau lag, hatte ich noch nie gesehen. Ich liebte das Andante aus dem 2. Konzert, op. 102, ich weiß noch, wie ich es hörte und mich gleichzeitig in die Landkarte hinein- und davonträumte. Ich weiß nicht, ob es diese Einspielung noch gibt. Heute habe ich eine Aufnahme mit Elisabeth Leonskaja als Solistin.

Natürlich hörte ich auch das, was eben so gehört wurde in jener Zeit, ich hörte Bob Dylan, Neil Young, Velvet Underground, ich war auch, wie die anderen, in Konzerten von Al Jarreau bis Level 42, was immer über die Jahre hinweg gerade angesagt war. Aber das registrierte ich nicht wirklich als Musik. Es hatte etwas Launenhaftes, Flüchtiges, wie ein Cocktail, mehr soziale Konvention als Genuss, Musik, *wirkliche* Musik, war das, was nicht ohne Erschütterung zu hören war, Musik, bei der man sich äußerlich winzig machen wollte und innerlich mit jeder Note wuchs, solche Musik war etwas anderes. Nach und nach sammelte ich auch Freunde, in die ich mich verliebte, weil man mit ihnen Musik hören konnte, weil sie Musik liebten oder weil sie mich mit anderer, neuer Musik bekannt machten, Keith Jarrett und Chick Corea, die Beethoven-Sonaten, Olivier Messiaen, Leoš Janáček, das entdeckte ich zu zweit.

Und nun also die Liebe zu Schostakowitsch. Erst die Klavierkonzerte. Später kamen dann die 24 Präludien und Fugen, op. 87 hinzu, wie eine Weiterführung des Wohltemperierten Klaviers, das Suchen nach Motiven wandelte sich nun in das Suchen nach Strukturen, immer noch fühlte es sich wie eine Schnitzeljagd an, und noch immer war das ein zusätzlicher Schatz, ein Geschenk, das uns Kossarinsky überlassen hatte, neben der Freude des Hörens selbst, die Fähigkeit nach Spuren zu suchen und ihnen zu folgen.

Und schließlich nahm sich auch Kossarinsky endlich die Musik vor, die ich bis dahin nur allein für mich liebte. Inzwischen, da wir älter waren, hatte Kossarinsky begonnen, seine musikalischen Unterweisungen um politisch-biographische Erläuterungen zu den Komponisten zu ergänzen. Neben der inneren Logik der Komposition, neben der Art und Weise, in der sich die musikalische Sprache historisch entwickelt hatte zu der früherer Generationen, sollten wir nun die äußere Ordnung mitbedenken, die kulturellen und sozialen Kontexte, als beschränkende und ermöglichende Bedingungen des Werks.

Er erzählte uns von Schostakowitschs kontroversem Leben in der Sowjetunion, von seinem großen Erfolg im Alter von nur 19 Jahren mit seiner 1. Symphonie, Kossarinsky saß dabei am Flügel des Musiksaals und spielte immer wieder einzelne Motive aus den Werken, über die er sprach, so wie andere mit Handbewegungen ihre Rede unterstützen, so machten Kossarinskys Hände eben Musik, beiläufig, ohne es selbst richtig zu bemerken, denn das richtige Werk (die Streichquartette) wollte er erst am Ende vorspielen, Kossarinsky erzählte uns, dass Schostakowitsch im Westen als musikalischer Propagandist der Sowjetunion galt, eine Deutung, die ihm, Kossarinsky, allzu leichtfertig und, wie er es formulierte, etwas faul erschien, nicht die Lobpreisungen des kommunistischen Regimes, sondern die Musik allein könne Auskunft geben über die Haltung des Komponisten, dazu müsse sie aber gehört werden, wirklich gehört.

Kossarinsky sprach und spielte und sprach weiter, und so tat sich eine andere Welt auf, kleinteiliger, filigraner, verzweigter als die, die wir kannten, als seien wir in das Innere der Rhododendren eingedrungen, unter die kugelige, äußere Gestalt, zu den Räumen und Verästelungen, die sich darunter verbargen, die Sowjetunion erschien nicht als eine kommunistische, politische Ordnung wie im Gemeinschaftskundeunterricht, der Ost-West-Konflikt, der kalte Krieg, die beschlossene Wahrnehmung der Welt in antagonistischen Mustern, all das zerbrach, um freizulegen, was Kossarinsky uns sehen lassen wollte: das Ringen eines Individuums um eine (musikalische) Sprache, der Konflikt zwischen dem Einzelnen und einem ideologischen System, zwischen ästhetischem Formalismus und der vorgegebenen Norm, die mehr volksnahe Musik verlangte.

Und dann, schließlich spielte Kossarinsky uns Schostakowitschs Streichquartett Nr. 8, op. 110, vor, und wir horchten gebannt auf das erste Motiv aus vier Noten, beginnend mit dem Cello, und dann kanonisch gefolgt von Bratsche, zweiter und erster Violine, und als in den nächsten Takten alle Halbtöne der Oktave folgten, ließ uns die tonale Ambivalenz verunsichert zurück, ich erinnere mich noch, wie ich dasaß und es sich körperlich kaum aushalten ließ, es war aufregend und irritierend und beglückend zugleich.

Die langsame Klage des Largo hatten wir gerade erst aufgenommen, als der zweite Satz übergangslos einsetzte. Kossarinsky ließ uns erst hören, heraushören, den Ausbruch im Allegro, das Gehetzte darin, das nur zweimal eine Aufhebung, eine Beruhigung erfährt bei den jüdischen Anklängen. Kossarinsky erzählte von Schostakowitschs Kritik am russischen Antisemitismus, seiner Musik zu Texten von Jewgeni

Jewtuschenko, seine Symphonie Nr. 13, und dem Unmut, den diese bei den sowjetischen Funktionären hervorrief, alles ging durcheinander, und alles fügte sich zusammen, das eine Werk wurde entschlüsselt und zugleich verwoben mit anderen Werken, nach und nach entblätterte Kossarinsky so das ganze holistische Denken und Komponieren Schostakowitschs, indem er uns die Zitate und Bezüge zwischen den verschiedenen Quartetten und den Symphonien aufzeigte, das Thema aus dem dritten Satz des Quartetts und wie es in Schostakowitschs 1. Cello-Konzert klang, und natürlich das Motiv d-es-c-h, die Signatur Schostakowitschs, die Reverenz an Bach und an andere Kompositionen, in denen er sich auch eingeschrieben hatte.

Auf einmal begann ich, Musik nicht »nur« vertikal, sondern auch »horizontal« zu denken und zu hören. Mich interessierten im Klang die Referenzen und Bezüge zu anderen Werken desselben Komponisten, aber auch zu anderen ästhetischen oder gesellschaftlichen Entwicklungen der Zeit, die musikalischen Anspielungen, die Kritik, die individuelle Dissidenz, die sich darin verstecken, aber auch artikulieren konnte.

*

Vermutlich fühlte er sich damals gar nicht so mutig, wie er mir schien, aber als Tom mich das erste Mal mitnahm in das Café, *sein* Café, wo er regelmäßig saß, ein junger, schöner Mann, vielleicht eher ein schöner, männlicher Junge, unter den aufmerksamen Blicken der erwachsenen Männer, die an den anderen Tischen saßen, bewunderte ich ihn unendlich. Ich erinnere mich, wie ich die Stufen zu der Eingangstür hochstieg und das kleinen Nicken bemerkte, mit dem Tom begrüßt wurde, und als wir uns an einen Tisch setzten, da entdeckte ich dieses Spiel um Aufmerksamkeit, das doch all dem widersprach, was mir bislang als Merkmal schwuler Existenz ausgemacht schien: Unsichtbarkeit, Heimlichkeit, die Not, unbemerkt zu bleiben, hier kehrte es sich um, ich trat mit Tom ein, in das *Image* und seine Welt und begriff, dass es eine eigene Welt *gab*, dass Homosexualität einen Ort haben konnte, und dass es darin um das Schauen und Angeschautwerden ging.

Das *Café Image* lag mitten im Zentrum der Stadt. Nicht am Rand. Nicht an der Peripherie. Nicht im Rotlichtviertel. Nicht versteckt in einer düsteren Gegend. Sondern in einer kleinen, eleganten Einkaufsstraße mit Modeläden und einem antiquarischen Uhrengeschäft. Und in dieser Offenheit, dieser Weigerung etwas zu verbergen, wofür sich keiner schämte, passte das *Image* zu Tom. Tom schien der Einzige von uns allen zu sein, der sich in diesen Jahren nicht suchen musste, dem seine eigene Andersartigkeit kein Geheimnis zu enthalten schien, keinen Zweifel. Tom war schwul. Eindeutig, fraglos und absolut herzerfrischend.

Tom war der erste Jugendliche, der erste Mann überhaupt, von dem ich wusste, dass er Männer liebte, die erste reale Person, die aus dem öffentlichen Diskurs über Homosexuelle heraustrat, wie die Figuren in Woody Allens *Purple Rose of Cairo* aus dem Film hinaustreten und zu den Zuschauern hinabsteigen, so wurde mit Tom erstmals ein Homosexueller dreidimensional, er sprach, lachte, fluchte wie ich, wir gingen zusammen ins Kino, tanzten zusammen, schwammen, lasen dieselben Bücher, getrennt nur durch weite Teile der Stadt, und getrennt durch Erfahrung, ich blieb Zuschauer und betrachtete, aus der Ferne und begeistert, wie er wieder zurückstieg in seinen Film, in dem ich nicht mitspielte.

Mit den Schülern meiner Schule gab es keine Schnittmengen, Tom wurde ein Freund, auch wenn er in einem anderen Viertel lebte, aber er wurde vor allem *mein* Freund, er änderte meine Welt, aber nicht die soziale oder erotische Ordnung in meiner Klasse oder an meiner Schule. Daniel hat Tom nie kennengelernt. Vielleicht hätte das den Unterschied ausgemacht. Vielleicht hätte er ihm etwas von dieser Schwere genommen, von der Isolation.

Für mich bedeutete Tom vielleicht nicht so sehr einen Unterschied, aber er verstärkte ein Verlangen. Er führte mir vor, was für mich selbst zu jener Zeit nicht passend schien, weil ich nicht begehrte, wie Tom begehrte, aber wie er leben wollte, das war mir nah, er hatte etwas Radikales an sich, das mir unendlich gefiel, weil es neue Räume erschloss.

Es war, als habe er einen verborgenen Wald entdeckt, einen, der noch hinter dem lag, der mir so vertraut war und den ich doch trotz all meiner Erkundungen nicht bemerkt hatte, einen, zu dem ich keinen Zutritt hatte, denn das hatten nur junge Männer, für die sich erwachsene Männer interessierten, aber den ich gerne entdeckt hätte. Ich hatte mir Risse an Armen und Beinen zugezogen beim Springen über stacheldrahtbewehrte Zäune und Klettern über verbarrikadierte Baustellen, ich war in leerstehenden Häusern herumgestromert und auch in besetzten, aber dies hier war etwas anderes. Wir anderen waren alle damit beschäftigt, von etwas Abschied zu nehmen, aus etwas auszubrechen, Tom dagegen war angekommen.

Das stimmt so nicht. Als ich ihn kennenlernte, lebte Tom noch bei seinem Vater, und das, was uns gemeinsam war, neben der Leidenschaft fürs Ballett, waren die Querelen zu Hause. Nichts an seinem Leben war leicht, das wusste ich, auch wenn ich in einem anderen Stadtteil wohnte, weit weg von Tom und den Dramen, die sich in der Küche seines Elternhauses abspielten. Als die Auseinandersetzungen unerträglich wurden, zog er aus. Er war der Erste von uns, der das wagte, und lebte in einer winzigen Dachwohnung mit Schrägen, die ihn eigentlich nur sitzend beherbergen konnte, etwas nördlich vom Hauptbahnhof. Er fremdelte in der Schule, weil ihm nichts von der Materie, die der Unterricht vorsah, über ein Leben erzählte, wie er es sich erträumte, ihn irritierten die Mitschüler, die schon ihre eigenen Großeltern zu sein schienen, noch bevor sie überhaupt geschlechtsreif waren. Tom hatte etwas Klaustrophobisches, weil er unter jeder Form geistiger oder sexueller Enge litt.

Dass ich, nur in anderer Hinsicht, mich selbst längst gefunden hatte, dass das Verbotene, für mich, in hungriger Lektüre bestand und dem ewigen, sich vertiefenden Schreiben, etwas, das nicht nur temporärer Zeitvertreib, sondern existentiell notwendiges Lebensglück bedeuten sollte, diese Gewissheit, diese tiefere, innere Gewissheit, so unwahrscheinlich sie in der Welt, in der ich aufwuchs, auch war, sie gehörte mir damals schon, unverbrüchlich, unzerstörbar, so wie Toms Gewissheit über seine Sexualität.

Aber anders als ich in jener Zeit hatte Tom etwas Federndes, Leichtes. Das hatte mit seiner Schönheit zu tun, aber nicht nur. Tom wusste von Anfang an, noch bevor er mit einem Mann geschlafen hatte, noch bevor er mit einer Frau geschlafen hatte, dass er von einem Mann geliebt werden wollte, unbedingt geliebt werden, Homosexualität, das war für Tom zunächst keine sexuelle Phantasie, sondern eine tief emotionale, es hatte mit Begehren zu tun, nicht allein Sex, etwas, das inklusiver sein konnte als der Sex, über den Homosexualität sonst ausschließlich definiert schien.

Ich vermute, diese Unterscheidung, zu lieben oder zu begehren, diese unterschiedlichen Formen des Einen-anderen-Menschen-Wollens, die Arten der Lust und des Verlangens, die sich ergänzen können, aber nicht müssen, die Hierarchien, die dabei entstehen können, die Frage, was das Wollen, das Besitzen-Wollen, sich Verschenken-Wollen dominiert, die Lust oder die Liebe, all das gibt es bei Heterosexuellen natürlich auch, nur bleibt es oftmals unbemerkt, weil das Entdecken der Lust dort vorgeblich einmalig, vorgeblich so selbstverständlich behauptet wird, dass niemand sich zu fragen traut, wie dieses Begehren eigentlich aussieht, woraus es sich speist.

Wenn ich es heute, nachträglich, betrachte, mit dem Wissen um alles Spätere, sortiere ich die Erfahrungen von damals neu. Dann würde ich sagen, diese Sehnsucht von Tom kannte auch ich, wenn auch in leichter Variation desselben

Motivs: Ich wollte andere Mädchen oder Frauen *lieben* dürfen. Und dieses Verlangen, ohne dass ich das darin enthaltene Lustvolle erkannt hätte, dieses tiefe Verlangen tauchte auch auf, immer wieder, bei verschiedenen, meist älteren Frauen, nur verband ich es nie mit der Vorstellung von Homosexualität. Ich verband es nicht einmal bewusst mit »Liebe«.

Warum nicht?

Vielleicht, wenn es im Alltag, irgendwo, Bezüge zu Lesben gegeben hätte, selbst denunziatorische Bilder oder Geschichten, irgendetwas, und seien es noch so holzschnittartige Vorlagen, vielleicht hätte ich es dann entschlüsseln können, mein eigenes Verhalten, meine eigenen Wünsche, so wie uns Kossarinsky beigebracht hatte, Musik zu hören, so wie ich in dem musikalischen Text das ursprüngliche Motiv und seine Durchführungen zu dechiffrieren wusste, aber dazu musste man das Motiv, das Thema ja erst einmal kennen, man musste wissen, worauf man hören sollte.

Noch leichter wäre es gewesen, wenn ich eine lesbische Frau gekannt hätte, eine, die mit meiner Sehnsucht etwas hätte anfangen können. Ich schrieb und warb, ahnungslos und verschwenderisch, um Mädchen und Frauen, aber ich verliebte mich in Jungs und Männer, die durchaus damit etwas anzufangen wussten. Tom immerhin wusste, dass er einen Mann wollte, auch wenn er im ersten Augenblick, mit dem ersten Liebhaber, einem ein paar Jahre älteren Syrer, dann überrascht war, was für eine Lust mit diesem Wollen einherging. Und dann, über die Jahre, haben sich diese Formen des Verlangens verbunden, hat sich das Begehren für ihn zu einem Leben gefügt.

Tom und ich hatten uns für ein paar Jahre aus den Augen verloren, uns dann zufällig in der Bahn getroffen, wieder verloren, und haben uns neulich erneut gefunden. Er ist immer noch so schön, und er hat immer noch dieses Schwebende, das so ansteckend war damals, als ich hinter ihm die Stufen zum *Image* hochstieg.

*

Irgendwann wurde Daniel schlechter in der Schule. Er war unkonzentriert, wirkte abwesend, in sich gekehrt, als ob das Außen ihn immer weiter in sich hineindrückte, als ob er nicht hinausfände in die Welt, in Bücher und Texte, in das, was uns vorgesetzt wurde, weil es uns angeblich vorbereiten sollte auf das Leben. Es legte sich eine Decke der Schwermut auf ihn, die ihn einhüllte, unter der er nicht mehr hervorkam, und die alles Sprechen, jede Handbewegung, jede Geste zu erschweren schien.

Daniel verschwand, bevor er verschwand. Er zog sich zurück, und niemand sah das. Vielleicht wurde es auch gesehen, aber alle hatten sich schon gefügt in seine Lage, er war isoliert, er war einsam, da wunderte es niemanden mehr, dass er auch wunderlich wurde, langsamer, begriffsstutziger.

Dass er ausgeschlossen wurde, darum hatten sich die Lehrer gesorgt, aber dass er deswegen schlechter werden könnte in seinen schulischen Leistungen, das ging niemandem als Zusammenhang auf. Kinder aus »bildungsferneren« Elternhäusern, wie das heutzutage euphemistisch heißt, haben es oftmals schwer auf dem Gymnasium, das entsprach dem Bild, der sozialen Gewohnheit, und so erwog niemand, ob es genau diese Vorstellung von Kindern aus »bildungsfernen Elternhäusern« war, die dafür sorgte, dass diese Kinder bildungsfern *blieben*. Niemand überlegte, ob bei Daniel möglicherweise ein anderer Grund vorliegen könnte, ob es einen Zusammenhang zwischen Pubertät und Isolation, zwischen Einsamkeit und Erfolglosigkeit gäbe.

Daniel wechselte schließlich die Schule. Er verließ das Gymnasium und ging zur Realschule, einige Busstationen weiter, in eine andere Welt. Wir haben uns nicht einmal von ihm verabschiedet. Die Endgültigkeit des schulischen Urteils erfolgte am letzten Schultag, mit den Zeugnissen. Da war es zu spät. Wir gingen in den Sommer, und Daniel, der immer weniger sichtbar gewordene Daniel, verschwand.

Im Herbst, zu Beginn des Jahres, als wir neue Klassenräume bezogen, als Johannes und ich uns setzen konnten, wie wir wollten, gab es einen Stich, Daniel, der Junge, den wir hatten beschützen sollen, der in unserer Mitte saß, fehlte, an seine Stelle rückte die Scham, und sie machte ihn, in der Lücke neben mir, sichtbarer denn je.

*

Gequält wurde variabel. Gequält wurde unbeständig. Mal harmloser, mal brutaler. Zu Raubzügen zogen sie aus, wann

194

immer die Jungs aus der Vereinzelung wollten, in die sie ihre unbefriedigten Körper zwangen, wann immer sie nicht wussten, was Männlichkeit heißen sollte, dann zogen sie aus, gingen auf Jagd, gingen hetzen, einen, der es wert war, einen, der nicht allzu schwach, nicht allzu hilflos war, keinen zu randständigen Kandidaten, das hätte keine Lust bereitet, da wäre keine Dominanz nötig gewesen, das hätte nichts bewiesen, das wäre keine Demonstration gewesen, Gewalt, das brauchte es, denn nur Gewalt gegen andere könnte die eigene Not kaschieren, wenn kein Ausdruck zu finden war, bot sich Gewalt an, mit Gewalt ließ sich leichter lügen, nur Gewalt würde diese verdammte Unruhe überdecken, die zurückblieb, ganz gleich, welche anderen Rituale des männlichen Erwachsenwerdens man schon bestanden hatte.

Andere zu quälen, zu schlagen, zu demütigen, manchmal brauchten sie Alkohol dafür, Bier oder Wodka, was immer zu haben war, was immer sie sich leisten konnten. Manchmal brauchten sie Langeweile, diese Ohnmacht, nichts mit sich selbst anfangen zu können, manchmal brauchte es einen Zwischenfall, etwas, das an etwas anderes rührte, ein falsches Wort, eine falsche Geste, falsch nur, weil sie so vertraut war, weil der Schmerz, den sie hervorrief, älter war und damit größer, es brauchte nur etwas, das sich als Einladung missverstehen ließ, damit die Schuld später dem Opfer zugeschoben werden könnte, damit es keinen Täter gäbe, damit die Gewalt angeblich keine Gewalt, die Demütigung angeblich keine Demütigung, sondern bloße Reaktion, harmlos, bloß einvernehmliche Lust oder Unterhaltung gewesen sein könnte.

Und natürlich hätten nachträglich alle gesagt, dass es doch ein Spiel gewesen sei, dass ja niemand zu Schaden gekommen, niemand verletzt worden sei, ja, dass Micha doch mitgemacht und sogar gelacht hatte, wie konnte denn etwas falsch sein, über das der, der im Kreis stand, gelacht hatte, das war doch der Beweis, dass es ihm auch Lust bereitet hatte, dass es nicht gemein war, ja, hatten sie ihm nicht eigentlich eine Freude gemacht mit diesem Spiel? Schließlich war er so endlich einmal in ihre Mitte geraten, hatte er nicht vielleicht die Aufmerksamkeit genossen, die Lust, die er den anderen bereitete, war das nicht auch seine?

Es gab keinen Grund, warum es Micha traf an diesem ersten Abend im Ferienlager, es gab nichts, das vorher darauf hingedeutet hatte, dass sie sich ihn zum Spiel suchen würden, nichts. Micha war ein guter Schüler, beliebt, wenn auch immer etwas distanziert zum dominanten Kern, der inneren Clique des Jahrgangs, er war etwas korpulent, etwas unsportlich auch, aber immer fröhlich und vergnügt, und darin scheinbar unverwundbar.

Den Tag über waren wir am Strand gewesen, wir hätten alle erschöpft sein müssen, es hätte keine Kraft mehr übrig sein dürfen an diesem Abend, wir hatten Beach-Volleyball gespielt, waren wieder und wieder in die Brandung gesprungen. Vielleicht war es nicht genug. Vielleicht war dieser Rest Kraft schuld. Vielleicht war es auch das Salz, das Salz aus dem Meer, das an der Haut getrocknet war und das nun stach und juckte. So zog es abends, in der Jugendherberge, alle in die Duschen, um ebendieses Stechen loszuwerden. Vielleicht hatte sich dort unter den Duschen bei den Jungen auch etwas abgespielt, von dem wir nichts wussten, jedenfalls liefen auf einmal die Jungs hintereinander her, lachend noch, albernd, jagten sie sich, mit Handtüchern um die Hüften gewickelt, oben nackt und kaum abgetrocknet, und suchten den jeweils anderen mit einem nassen Handtuch auf den Hintern zu schlagen, wir konnten die patschenden Laufschritte hören und das Knallen, wenn einer getroffen wurde.

Es war harmlos. Es tat sicherlich weh. Aber trotzdem. Es war ein Spiel. Ein wenig wie Kriegen, nur ohne sicheres Mal, auf das man sich hätte retten können. Sie rutschten über den glatten Fußboden, halb verspielt, halb ehrgeizig, auf dem Grat zwischen Lust und Zorn, und irgendwann traf einer dann auch Micha, und Micha, etwas ungelenk, wie er war, machte einen Sprung, wie ein Scherenschnitt, er hüpfte, zog erst das eine, dann das andere Bein hoch, ganz schnell. Vielleicht war es einfach seine Ungeschicklichkeit, vielleicht war es seine Angst, jedenfalls wurde der mädchenhafte Eindruck, den er machte, nur noch schrecklich verstärkt dadurch, dass er quietschte.

Die Jungs stockten. Was war das?

Am Ende des Flurs stand unser Lehrer, Paulsen. Ob er den Jungen zeigen wollte, wie jugendlich er selbst noch war, oder ob er sich einschmeicheln wollte bei den Schülern mit ihren athletischen, nackten Oberkörpern, jedenfalls kam er näher, gesellte sich zu den Jungen und glitt hinein in das Spiel, das er hätte begrenzen sollen, und als die Jungs Micha erneut schlugen, nicht allein, um ihm mit dem Schlag einen Schmerz zu versetzen, sondern um diesen Hüpfer noch einmal zu sehen, da schaute Paulsen nur zu, halb verwundert, halb begeistert – und lachte.

Micha verstand im ersten Moment gar nicht, was geschehen war, warum sie nicht weiterrannten, wie das sonst üblich war, warum sie sich nicht den nächsten Hintern suchten, den sie malträtieren konnten, warum sie stehen blieben, erst zwei, dann drei, und warum sich schließlich ein ganzer Kreis bildete, ein Kreis wie damals am ersten Schultag, nur dass dieses Mal nicht zwei gegeneinander antreten sollten, sondern alle gegen einen, gegen ihn, Micha, den quietschenden Micha.

Paulsen, mitten unter der Meute, schaute zu, und während die Jungs mit kurzen, schnappenden Schlägen ihre Handtücher auf Michas Hintern klatschen ließen, entfuhr es Paulsen plötzlich: »Tanz, Micha, tanz!« Micha schaute entgeistert in die Runde, in die geifernden Gesichter der halbnackten Jungen um ihn herum, wie sie lachten und johlten, wie sie ihn schlugen, nicht zu oft, gerade genug, damit er hochhüpfen musste, damit es einen Rhythmus ergab, schließlich hatte Paulsen das Motto vorgegeben, das riefen sie nun alle, »Tanz, Micha, tanz!«, ob sie es selbst lustig fanden oder ihrerseits nun dem alten Paulsen eine Freude machen wollten, indem sie es ihm gleichtaten, und sie schlugen ihn der Reihe nach, jeder durfte einmal, jeder durfte seinen Spaß haben, sich aufgeilen an der eigenen Macht, an der Zügellosigkeit, manchem ging vermutlich einer dabei ab, manche wichsten sich vermutlich erst nachts, im Stockbett des Lagers, die ganze Lust, die ihnen die Demütigung bereitet hatte, heraus.

Und Micha tanzte. Er drehte sich, er hopste auf und ab, er quietschte, wie ein mit heißen Eisen gequälter russischer Zirkusbär, der hofft, dass die Peitsche bald hinabsinkt, damit er runter kann von seinem idiotischen Ball, an Michas Rücken bildeten sich langsam rote Flecken, manchmal ruschte ihm die Hose herunter, er zog sie hektisch hoch, über den Flaum in der Mulde oberhalb des Hinterns.

Die, die nicht mitmachten, standen herum, sie formten einen zweiten Kreis, einen der Feiglinge, einen, der den inneren mit denen, die Micha quälten, umschloss, manche klatschten, andere grinsten, manche aus Belustigung, die anderen aus Scham, sie alle wussten, dass sie zu weit gingen, dass Micha litt, dass sie zuschauten, wie andere ihren Spaß daran hatten, ihn zu demütigen, ihn leiden zu machen, doch keiner stoppte es, keiner wollte ausscheren, keiner wollte eingreifen, es hätte nur einer ablenken müssen von Micha, es hätte nur einer das Handtuch festhalten müssen, nur einmal hätte jemand sagen müssen, nur einmal hätte *ich* sagen müssen, dass nur Schwächlinge sich auf einen Einzelnen stürzen, dass es ein Spiel für Jungs mit kleinen Schwänzen war, für Dummköpfe, was auch immer, es hätte nur jemand sagen müssen, dass das kein Spiel war, dass es nicht lustig war.

Mir war schwindlig vor Ekel, ich stand weit entfernt von allen Kreisen und schauderte. Gern würde ich behaupten, ich sei dazwischengegangen, gern würde ich sagen, der Schwindel hätte mich wütend gemacht, so wütend, wie ich es heute manchmal werde, wenn ich auf meinen Reisen Misshandlungen anschauen muss oder Willkür, ich wünschte, ich könnte erzählen, wie ich Micha aus dem Kreis geholt habe, wie ich ihn besser beschützt habe als Daniel, wie ich die Abscheu, die ich empfand, in irgendetwas, auch nur irgendetwas Gutes gewandelt hätte. Ich kann es nicht. Es gibt nichts Mutiges zu berichten von diesem Abend. Nie wieder, das hatte ich mir am Tag danach geschworen, nie wieder wollte ich zusehen, wenn so etwas geschieht, nur sprachlos zusehen, und nie wieder, das musste ich mir gar nicht schwören, nie wieder würde ich Kreisen trauen, ganz gleich wie sie sich formten und zu welchem Zweck.

*

In meiner Jugend gab es drei Orte, an die ich gehörte, drei Orte, an denen ich mich *richtig* fühlte, in die ich ganz und gar passte: den Wald, den Konzertsaal und das »Front«. Als Kind war der Wald hinter dem Haus meiner Eltern mein ganz eigenes Zuhause. Ich verschwand nach der Schule im Wald und tauchte abends wieder auf. Nachts konnte ich vom Bett aus die Wipfel der Bäume sehen, und das Licht vom Krankenhaus, das am Rand des Waldes lag, schimmerte durch das Dunkel hindurch. Wenn ich unglücklich war, rannte ich in den Wald, alle Unruhe schien sich zu senken, wenn nur der Duft von Moos zu riechen oder die Blätter zu hören waren. Bis auf einige Straßenzüge in New York, zwischen Kenmare und Houston und Sullivan und Elisabeth St., in denen ich die Tage nach den Anschlägen vom 11. September eingeschlossen war, kenne ich keine Gegend so genau wie diesen Wald.

Der Konzertsaal war reglementierter, voller Rituale, die ich zu beachten hatte, aber so streng und eng ich das auch fand, mit dem magischen Einsetzen der Musik weitete sich der Raum, öffnete sich und mich und überschritt alles, was sonst war.

Das »Front« war genauso beruhigend wie der Wald, aber aus anderen Gründen. Es war der einzige Club, in den ich gerne ging, auch wenn nichts an dem düsteren, bunkerähnlichen Gewölbe einladend war. Das erste Mal hatte mich Tom mitgenommen. Mädchen und Frauen durften nur samstags oder mittwochs ins »Front«, die restliche Woche war der Club »men only«. Meistens musste man Schlange stehen, vor oder auf der Treppe an der Straße, die an dem Türsteher vorbei hinunter in den Keller führte. Die Gegend war abgerissen, das »Front« lag an einer Zufahrtsstraße zur Autobahn, drum herum gab es Absteigen für Trucker und die Kfz-Zulassungsstelle. Heute leben vor allem Flüchtlinge, offiziell oder inoffiziell, in den trostlosen Gebäuden der städtischen Peripherie.

Drinnen waren die Wände hellgrau lackiert, und es gab fast nichts an Einrichtung, ein schlichter Keller aus Stahl und unverputztem Beton. Eine Garderobe hinter Gittern und eine schmucklose Bar. Auf einer Videowand liefen schwule Pornos über die Monitore. Das Einzige, was zählte, war die Musik. Die DJ-Kabine bestand aus getöntem Plexiglas und war von außen nicht einsehbar. Der Kölner DJ Klaus Stockhausen legte hier auf zwei Thorens TD524 und einem Technics 1210 MKII auf, später kam dann Boris Dlugosch.[45] Das habe ich damals nicht gewusst, das hätte mich damals auch gar nicht interessiert. Was ich wusste, war, dass nirgends Musik so gemixt wurde wie im »Front«, dass es nirgends so eine ekstatische Atmosphäre gab, in der endlos getanzt wurde.

Das »Front« war 1983 von Willi Prange und seinem Lebensgefährten Phillip Clarke gegründet worden. Auf die Frage nach seiner politischen Einstellung hatte Willi Prange einmal in einem Interview mit »Ich bin Ausländer« geantwortet. Und ein bisschen so fühlte es sich auch an: Ich war Ausländerin im »Front« und darin genau richtig an diesem Ort, an dem alle, die sonst irgendwie nicht passten, nicht dazugehörten, sein konnten. Es hätte auch eine Lesbendisco gegeben zu dieser Zeit, das »Camelot«, aber da zog es mich nicht hin. Tom ging ins »Front«, und es war beglückend zu sehen, wie glücklich er sich hier fühlte, wo seine Homosexualität vielleicht nicht gerade belanglos, aber zumindest üblich war, in der das Stigma und die Schwere des Einzelgängers von ihm (von uns) abfiel.

Es war eng und stickig, Licht spendeten lediglich farbige Neonleuchten und eine oder mehrere »Danger«-Lampen. Ich glaube nicht, dass es einen *Darkroom* gab, aber ich hätte es vermutlich nicht einmal mitbekommen, ich wollte tanzen, dichtgedrängt und gleichzeitig unbedrängt tanzen, stundenlang, zu den dröhnenden *beats*, um mich herum schmalgliedrige Transgender, halbnackte Leder-Schwule, anfangs gab es sogar noch ein paar Popper, alles mischte sich, all die Unterschiede, die sonst, draußen, tagsüber, bei Licht, in der anderen Welt zählten, waren hier irrelevant. Es war unendlich befreiend.

Woche für Woche gingen wir hierher, es war wie eine Reise in ein anderes Land, die Nächte im »Front« entführten uns in eine Welt, in der die Ordnung der Dinge außer Kraft gesetzt war. Das Besondere war, dass es hier nichts Besonderes war, schwul zu sein, die Attraktion bestand nicht darin, dass alle gleich (schwul) waren, sondern dass Gleichheit und Differenz keine Rolle spielten.

Noch heute, wenn ich aus nicht gerade homophilen Ländern zurück nach Berlin komme und abends in meine liebste Bar in Kreuzberg gehe, steigt dasselbe Gefühl von Glück von damals wieder in mir hoch. Die Erleichterung, *sein* zu dürfen, einfach nur das, niemand anderes sein zu müssen, nicht Anstoß zu erregen, nicht besonders sein zu müssen, küssen zu dürfen, in einer Bar, übereinander herfallen zu dürfen, ohne dass sich irgendjemand darum schert, ohne dass es auffällt, das fühlt sich, besonders nach diesen Reisen, erlösend an, zurück zu sein, fern der Nöte und Zwänge des Landes, in dem ich zu Recherchezwecken unterwegs war, das ist, jedes Mal wieder, befreiend.

Phillip Clarke starb 2003 an Krebs, sein Freund Willi Prange nahm sich 2006 das Leben. Heute finden alle vier Jahre noch Front-Revival-Partys statt, und es kursieren Minidisc-Mitschnitte. Auch wenn der Club nicht mehr existiert, das Gefühl, einen Ort zu haben, ein Zuhause, wo jeder Ausländer sein durfte und gleichzeitig das ewige Exil zu Ende ging, das ist uns, die wir damals dort die Nächte durchtanzten, nie wieder zu nehmen gewesen. Heute vermitteln vielleicht die »meschugge«-Partys in Berlin-Mitte oder die »GayHane«-Nächte in Kreuzberg, wenn DJ Ipek auflegt, noch am ehesten das, was uns damals das »Front« war.

*

Meine literarische Welt bestand in jenen Jahren aus einem wilden Gemisch verordneter Lektüre – Texte von Maupassant, Goethe (»Wilhelm Meisters Lehrjahre«), Flaubert, Goethe (»Die Leiden des jungen Werther«), Max Frisch, Goethe (»Die Wahlverwandtschaften«), Thomas Mann, Goethe (»Faust«) – und der Lektüre, die auf anderen Wegen zu mir gefunden hatte: Albert Camus und Jean-Paul Sartre, Hölderlin und Georg Büchner, Paul Celan und Wolfgang Koeppen, Christa Wolf und Ernst Bloch. Ich kann mich nicht erinnern, dass außer der notorischen Jane Austen im unterkomplexen Englischunterricht eine einzige Schriftstellerin auf dem Lehrplan gestanden hätte. Nicht Virginia Woolf, nicht Simone de Beauvoir, nicht Joan Didion oder Carson McCullers, von Hannah Arendt und Ingeborg Bachmann ganz zu schweigen. Eine weibliche Denkerin, eine weibliche Erzählstimme in der Literatur oder der Philosophie war eine Seltenheit.

Wer sich mit filmischen Helden identifizieren wollte, musste sich mit männlichen Helden identifizieren. Weibliche Vorbilder waren rar. Frauen, so erzählten es uns die alten Genre-Filme der Zeit, die immer noch im Fernsehen liefen, waren verwirrte, hysterische Wesen auf dem Land, die auf die Hochzeit mit dem Falschen warteten und sich kurzfristig in den Richtigen verliebten, sie waren verwelkte Saloon-Damen mit riesigen Brüsten, die der Rückkehr von John Wayne entgegenfieberten, oder langhaarige, sittsame Burgfräulein, die Robert Taylor erst zu befreien gedachte, nachdem er Jerusalem eingenommen oder unzählige schwergewichtige Ritter mit seiner Lanze vom Pferd gestoßen hatte.

Von klein auf war ich darin geübt, mich mit handelnden (männlichen) Figuren zu identifizieren. Natürlich war ich Winnetou – wer wollte schon N'tschotschi sein? Monatelang auf Winnetous Rückkehr warten, alle Abenteuer verpassen und dann mit schwacher Stimme in seinen Armen sterben? Wer die Subjektivität der handelnden Figuren imaginär erleben wollte, schaute die Filme der Zeit zumeist aus der männlichen Perspektive – und verliebte sich gleichsam notgedrungen in die Frauen, in die sich die Filmhelden verliebten. Nachträglich kann ich nicht einmal mehr sagen, ob ich in meiner Phantasie die Männerrolle übernahm, um mich in Frauen verlieben zu können, oder ob ich mich in Frauen verliebte, weil ich gerne die handelnde, aktive Figur sein wollte. Nie wollte ich ein Mann sein, ich wollte einfach nur frei sein.

Wäre ich zu meiner Schulzeit mehr ins Theater gegangen, in das Schauspielhaus unter Peter Zadek, hätte ich mehr Eva Mattes und Susanne Lothar gesehen, hätte ich die Fassbinder-Filme schon damals gekannt, wären mir auch andere Erzähl- und Lebensformen vertraut gewesen. Aber von dieser Bildsprache, diesen anderen Frauenfiguren wusste ich damals noch nichts.

Die großen Frauenrollen, die es später auch gab, denkende, selbstbewusste Frauen, aus deren Perspektive endlich erzählt wurde, waren oft tragische Figuren, voller Kummer und Schmerz, und ich war in der Zwischenzeit so selbstverständlich in den männlichen Blick eingewöhnt, dass ich Alain Delon oder Sami Frey sein wollte und Romy Schneider liebte. Die Spaltung in männliche und weibliche Figuren war nicht einfach nur eine Spaltung in männliche und weibliche Figuren, sondern mit ihnen verketteten sich Bilder vom Glück, Bilder von Handlungsfähigkeit oder von Ohnmacht und Leid, die nur den einen oder anderen zugeschrieben wurden.

Diese ästhetisch-existentielle Ordnung zerstob an einem einzigen Abend. Meine Mutter hatte mich mitgenommen zur Premiere einer Harry-Kupfer-Inszenierung von Händels *Belshazzar*. Ich mochte immer noch keine Oper, aber ich liebte Barockmusik, und sie wusste, dass ich die biblischen Geschichten wiedererkennen würde: die Juden in babylonischer Gefangenschaft, das Sesachfest, die unverständliche Schrift an der Wand, die Ankündigung des Niedergangs des Reiches Nebukadnezars, all das, ahnte sie, würde ich mögen. Es muss kurz vorm Abitur gewesen sein.

Als das erste Mal diese Stimme erklang, konnte ich mich nicht mehr rühren. Ich saß in der Staatsoper, in der letzten Reihe der Loge, die an den Balkon im ersten Rang grenzt, wie erstarrt, und hörte zum ersten Mal in meinem Leben einen *counter tenor*:

> *Lament not thus, O Queen, in vain!*
> *Virtue's part is to resign*
> *All things to the will divine,*
> *Nor of its just decrees complain.*
> *The sins of Babylon urge on her fate;*
> *But virtue still this comfort gives,*
> *On earth she finds a safe retreat,*

Or bless'd in Heav'n for ever lives.
Lament not thus …

Ich hatte so eine Stimme noch nie gehört. Sie schien alles zu überschreiten, was ich kannte und was galt. Sie schien körperlos zu sein, nicht dingfest zu machen, schwebend, jenseits aller Geschlechter.

Ich verfolgte jede Bewegung dieser schmalen Gestalt. Ich kannte und liebte die Geschichte von dem, der Träume zu deuten weiß, der die Weissagungen von Jesaja und Jeremias erinnert, der die Schrift an der Wand zu interpretieren weiß, *»mene mene tekel u-pharsin«,* gezählt, gewogen (und für zu leicht befunden), geteilt, der spricht, was wahr ist, was die anderen sich nicht auszusprechen trauen, was sie nicht aussprechen können, er ist der, der in den Fugen der Erzählung zu wandern scheint. Wäre es ein Ballett gewesen, Max Midinet hätte diese Figur getanzt. Damals sang der noch junge Jochen Kowalski die Partie des Daniel, Helen Donath die Nictoris, und für mich riss mit jeder weiteren Arie ein schwerer Vorhang, der bis dahin alle Möglichkeiten des Klangs verhüllt hatte.

Es hatte auch mit der Inszenierung zu tun: Harry Kupfer hatte, zum Entsetzen des Premieren-Publikums, die Geschichte des jüdischen Volkes in babylonischer Gefangenschaft ins Ghetto verlegt. Für mich erlangte damit die Rolle des Daniel eine noch größere Dringlichkeit, und ich fieberte jedem seiner Einsätze entgegen, um der Auflösung der beängstigenden Geschichte näher zu kommen, aber vor allem um diese

Stimme zu hören, die jenseits aller anderen Klänge, jenseits aller Gruppen, Völker, Chöre zu sein schien. Ich ging wie verwandelt nach Haus.

Jahre später hatte ich eine ähnliche Erschütterung: Als ich Corinna Harfouch in der Rolle des General Harras in *Des Teufels General* in einer Inszenierung Frank Castorfs über die Bühne der *Volksbühne* in Berlin wüten und wirbeln sah und in ihrem Spiel alle Identifikationen, alles Begehren durcheinandergeriet, alles schien auf, in der Ambivalenz der weiblichen Schauspielerin in einer männlichen Figur, wie in einem Vexierbild, changierten auf einmal die Rage, die Zweifel, die Leidenschaft. Corinna Harfouch entzog dieser Figur nicht ihre Körperlichkeit wie bei dem *counter tenor*, sie machte sie gerade *nicht* geschlechtslos, sondern sie setzte ihre ganze Körperlichkeit, ihre Sinnlichkeit ein, um die Vorstellungen von Männlichkeit oder Weiblichkeit aufzubrechen. Sie schien sie miteinander zu verweben, bis sie ununterscheidbar wurden. Es war eine verwirrende, aufregende, dramatisch verstörende Lust, die nicht aufhören wollte, als das Theater schon zu Ende war und ich nach Hause ging.

Ich bin ihr einmal begegnet. Vor kurzem. Bei einer Hochzeit von Freunden in Berlin war auch Corinna Harfouch eingeladen. Ich war glücklicherweise betrunken genug, mich zu trauen, sie anzusprechen. Den Fehler des schüchternen Schweigens, den ich bei Max Midinet begangen hatte, wollte ich nicht wiederholen. Ich habe ihr, leicht stotternd, von dem Abend in der *Volksbühne* erzählt und dass es einer dieser seltenen künstlerischen Augenblicke war, die, für den Zu-

schauer, das Leben verändern können – und ich glaube, sie
hat sich gefreut.

*

»Modulation«, das nennt man in der Harmonielehre den
Übergang von einer Tonart in eine andere. Vielleicht beschreibt das, die Modulation, diese Kompositionstechnik
der dur-moll-tonalen Musik, am genauesten, was damals los
war, was Daniel, Tom und ich erlebten, aber auch unzählige
andere, homosexuell oder nicht, immer noch erfahren, wie
sich das Begehren entwickeln, ja, wie es sich wandeln kann,
wie sich verschiedene Formen parallel zueinander verhalten
können, wie in einer Person einzelne Momente ganz un-
terschiedlicher Formen der Lust und des Verlangens möglich sind, wie manche davon sich auch erfüllen, wie andere
nur angedeutet bleiben, wie jedenfalls nicht nur eine Norm
den Klang des Lebens durchgängig begleitet und bestimmt,
sondern wie eine Ausgangstonart eben genau das sein
kann, eine Ausgangstonart, der Beginn, ein erstes Begehren,
ein erster Klang, aus dem heraus etwas anderes wachsen
kann.

In der Musik spricht man von »Modulation«, wenn ein
Stück, das zunächst in einer bestimmten Tonart beginnt, auf
die sich das Ohr auch harmonisch einstellt, zu einer anderen
Tonart hingeführt wird. Manchmal wechseln Musikstücke
die Tonart einfach so, ohne vorbereitende Hinführung, ohne
Töne, die andeuten, dass ein Wechsel in eine andere Tonart
bevorstehen könnte. Das nennt die Musiktheorie »Rückung«.
Ansonsten aber weisen überleitende Schritte, einzelne Töne

209

oder Akkorde, die schon nicht mehr zu der Ausgangstonart gehören, auf einen Wechsel hin. Manchmal wird die Bedeutung einzelner Akkorde ambivalent, weil sie zu beiden Tonarten gehören. Das ist die eigentliche Modulation.

Aus heutiger Sicht muss ich damals wie eine sich lang andeutende Modulation geklungen haben, ein geschulter Hörer hätte aufgehorcht, dass es Töne gab, die auf einen möglichen späteren Klang, auf eine andere Tonart hinwiesen, auch wenn es noch Jahre dauern sollte, bis ich wirklich in ein anderes Begehren fand. Vieles an mir muss fremd oder zumindest mehrdeutig gewirkt haben, meine Sportbegeisterung, meine nächtlichen Ausflüge ins »Front«, meine Freundschaft mit Tom. Ich warb um Frauen – und verliebte mich doch in Männer.

Vielleicht eroberte ich mir so Räume, vielleicht nahm ich mir die Freiheit, abzuweichen von dem Erwartbaren, probierte andere Formen, andere Sprachen aus, Variationen von der Norm, so wie ich es durch die Musik gelernt hatte. Vielleicht gab es keine Zieltonart, vielleicht hätten die fremd klingenden Töne oder Akkorde in mir auch einfach ambivalent bleiben können. Ohne Auflösung. Vielleicht war das auch schon der Anfang des sich öffnenden Begehrens.

Warum hatte uns das niemand erklärt, dass sich für manche das Begehren so wandeln kann wie eine Tonart, dass eine Tonart, dass anfängliche Lust sich öffnen kann hin zu einer anderen, und, manchmal, wieder zu einer anderen? Warum sagt das heute niemand? Warum wird das Spielerische, Leichte, Dynamische aus der Sexualität genommen, warum sind die Klangfarben, die Tonarten der Lust als so statisch, abgegrenzt, einseitig gedacht, warum sind die Modulationen verschwunden aus dem Denken über das Begehren?

Gewiss, so wie verschiedene Tonarten bestimmte Dreiklänge gemeinsam haben, so teilen verschiedene Formen des Begehrens bestimmte Praktiken oder Gesten, so wie sich manche Klänge der einen wie einer anderen Tonart zuordnen lassen, so erscheinen uns oder denen, die uns erleben, bestimmte Gefühle oder Zeichen auch als uneindeutig, sie können in eine heterosexuelle oder homosexuelle, männliche oder weibliche Erzählung eingebettet werden. Vielleicht war es deshalb auch für andere und für mich selbst so schwer zu erkennen, ob sich mein Begehren wandeln würde.

Wie oft erleben wir das, dass wir Menschen kennenlernen und denken, alle Zeichen scheinen eindeutig, wir schreiben, von außen, allen Codes, allen Gesten eine Sexualität zu, die diese Person doch nicht lebt, die ihrem oder seinem Selbstbild (noch) nicht entspricht, manchmal erleben wir Jugendliche und denken, dies Mädchen klingt nach einem späteren Mann, der mögliche Wechsel des Geschlechts deutet sich an, manchmal löst sich dieser Klang dann auf, manchmal gibt es eine Zieltonart, manchmal wird sie ein Mann, manchmal nicht, manchmal klingen verschiedene Tonarten an, und alles endet wieder in der Ausgangstonart.

Vielleicht brauchte ich diese Dreiklänge, die verschiedenen Tonarten gemeinsam sind, auch, um mein Begehren erst zu finden. In der »diatonischen Modulations-Technik« werden diese Dreiklänge eingesetzt als Übergänge, die von einer in die andere Tonart hinüberführen. So brauchen wir vielleicht bestimmte Arten der Lust, bestimmte Formen der Sexualität, um zu anderen zu gelangen. Das betrifft nicht nur den Wandel des Objekts der Sexualität, nicht nur die Frage, ob jemand Männer oder Frauen begehrt, sondern vielleicht entwickeln wir auch die Subjektivität unserer Lust nur über solche Übergänge, vielleicht sind uns bestimmte Dreiklänge, bestimmte sexuelle Praktiken vertraut, und auf einmal fühlen sie sich anders an, erregen anders.

Vielleicht ist das Besondere an der Pubertät, dass dort all diese Modulationen des Begehrens und der Individualität möglich scheinen, weil die Unsicherheit so groß ist, die Mehrdeutigkeit, weil vielen von uns in dieser Zeit gelegentlich Töne herausrutschen, die versetzt sind, die nicht zur vorgegebenen Ausgangstonart gehören. Für manche Menschen gibt es keine Zieltonart, manche wechseln immer wieder die Klangfarbe, manche wechseln nie, manche behalten eine Ambivalenz des Klangs ein Leben lang, für manche geschieht dieser Übergang plötzlich, ohne Ankündigung, ohne Vorbereitung, bei anderen, wie bei mir, zieht sich die Überleitung über Jahre.

Die erste Frau, von der ich wusste, dass sie mit Frauen schläft, war auch die erste Frau, mit der ich geschlafen habe. Da war ich schon 25. Als es die Möglichkeit gab, real, als ich das erste Mal einer schönen bisexuellen Frau begegnete, da wollte ich sie unbedingt berühren, lieben, wollte sie unbedingt *haben*. Vielleicht, das kann ich nur mutmaßen, hätte ich auch mit einer Frau geschlafen, wenn mir eine, die auch Frauen begehrt, mit 16 begegnet wäre.

Ich erinnere mich noch, wie ich sie das erste Mal sah, richtig *sah*, und dachte: »Wie schön sie ist.« Wenn ich ehrlich bin, dachte ich nicht: »Wie schön sie ist!«, sondern ich dachte: »Die Männer müssen wahnsinnig werden, so schön, wie sie ist.« Ich schaute sie an, wie sie saß, sprach, die Beine übereinanderschlug, ich verfolgte jede Bewegung, jede Geste, ich wollte sie berühren, ihre Hände, ihre Lippen, ihre Beine – und dachte doch, dass dies Männer denken müssten, nicht ich. Solche Blicke, solche Gedanken, solches Begehren für eine Frau mussten Männer haben, es gelangte zu mir nur über einen heterosexuellen Filter. Ich deutete mich selbst in dem Rahmen, der sozial eingeübt war, den ich gewohnt war, solche Blicke, solche Anziehung, das gab es zwischen Männern und Frauen, solche Blicke hatte ich normalerweise für Männer.

So wie die Frauen in Gaza mich nicht als Frau erkennen konnten, weil es solche Wesen wie mich als Frauen nicht gab in ihrem Umfeld, so konnte ich den Blick, der begehrte, nicht als eigenen erkennen, weil ich nun einmal – bis dahin – keine Frauen begehrte. Ich verbat es mir nicht, dieses Verlangen, ich zensierte es nicht, weil ich es für falsch oder pervers hielt, sondern das Tabu war derart verinnerlicht, dass es das Begehren verschluckte oder verschob, noch bevor ich wirklich begriffen hatte, dass es meins war.

Erst als ich nicht aufhören konnte, sie anzuschauen, als die Anziehung zu dringlich wurde, konnte ich die Lust des Blicks schließlich als meine eigene erkennen: *Ich begehrte eine Frau.*

Bis heute erstaunt mich das. Nicht, dass ich homosexuell geworden bin. Sondern dass ich es so spät bemerkt habe. Dass ich die Anzeichen früher nicht bemerkt habe. Dass ich all die Töne, die schon die Überleitung andeuteten, nicht gehört habe. Im ersten Moment, als ich mich in eine Frau verliebte, war ich überrascht über mich selbst, über meine Langsamkeit. Wie konnte ich das nicht früher bemerkt haben? Wie konnte das sein? Konnte das wirklich sein? Schließlich hatte ich jahrelang nur Männer geliebt.

Ich weiß nicht, ob dieses Begehren vorhanden war und nur eines Auslösers bedurfte, ich weiß nicht, was es schließlich geweckt hat, warum es nun eine Sprache in mir fand. Für andere Menschen ist diese Lust von Anfang an eindeutig, sie wissen, dass sie nur homosexuell begehren und lieben können und wollen. Vielleicht brauchte es einfach die Begegnung mit einer solchen Frau, vielleicht brauchte ich all die Jahre mit Männern, brauchte all die verschiedenen Körper und ihre Arten zu lieben, vielleicht brauchte ich diese Zeit und diese Sexualität, um immer mehr in mein eigenes Begehren abtauchen zu können, vielleicht bestimmte auch irgendwann weniger ich meine Lust als meine Lust mich, überließ ich mich mehr dem willenlosen Wollen, dem Begehren als dieser Kraft, die alles verschlingt.

Oft wird unterstellt, es sei das Unbehagen an der Sexualität mit Männern, das bei Frauen zur Homosexualität führt, es wird angenommen, Frauen entdeckten ihre Lust auf Frauen, weil ihnen der Sex mit Männern nicht gefiele. In der Tat ist vielen lesbischen Frauen ihr Verlangen sofort eindeutig, sie begehren Frauen und interessieren sich nie für

Männer. Aber für mich war es vermutlich die Erotik mit Männern, die, eben weil sie mir Lust bereitete, mir den Zugang zu dem noch größeren, aufregenderen Begehren für Frauen ermöglicht hat. Vielleicht war diese Erotik wie der Dreiklang einer Tonart, der auch in einer anderen Tonart möglich ist, vielleicht war es diese Kadenz, die mich dann hinübergeführt hat in die andere Subjektivität der Lust, in die nächste Tonart.

Ich vermute, das ist gar nicht so selten. Es gibt Frauen, die über den Sex mit Frauen zu Männern finden, weil sie mit einer Frau entdecken, dass ihnen Sex mit einem Dildo Lust bereitet, es gibt Frauen, die mit Männern ihre Lust an Sex ohne Penetration herausfinden, es gibt Männer, die mit Frauen nur schlafen wollen, wie sie es auch mit Männern könnten, heterosexuelle Männer, die Lesbenpornos erregen, es gibt verheiratete schwule Männer, die Varianten sind endlos. Manchmal sind die Objekte des Begehrens weniger wichtig als die Art, sich zu begehren. Nicht nur wen wir begehren ist bedeutsam, sondern auch wie wir begehren, nicht der einzelne Ton, der einzelne Dreiklang, sondern wie er sich einreiht, manchmal ist auch das Geschlecht des anderen weniger eindeutig, weniger relevant für ungebundene, tiefe Erregung und Lust.

Es dauerte noch eine Weile des unsicheren Werbens, bis wir uns fanden, aber das Gefühl war so unumstößlich, so eindeutig, so tiefe Lust, dass ich sie unbedingt lieben wollte. Es gab keine Zweifel mehr an dem Begehren. Vielleicht war das auch schon einer der Unterschiede zu der Art, wie ich Männer begehrt hatte: dieses unbedingte Wollen, nicht nur Gewolltwerden, sondern selber dieses Verlangen zu spüren, den Raum zu haben, die Lust auf diesen Körper zu entwickeln, den Blick auf mich selbst in meinem Begehren haben zu können, das hatte ich so intensiv noch nie empfunden, das trumpfte alle bisherigen Formen der Lust und der Sehnsucht.

Was mich bei Frauen so erregte, was mich bis heute so berührt, war und ist die Unsicherheit, nicht zu wissen, ob die andere mich auch will, nicht zu wissen, ob das Spiel gelingt, ob all das Werben erfolgreich sein wird, ja, dass ich überhaupt werben muss, dass ich mich anstrengen muss, dass es sein kann, dass diese Frau, die ich will, mich *nicht* aufregend findet, *nicht* schön, *nicht* begehrenswert, diese Unsicherheit, in der das Begehren sich erst entfalten und in der das Verlangen wachsen kann, das war (und ist) überwältigend.

Als ich mich nun in die erste Frau verliebte, zweifelte ich weder an der Empfindung noch an dem Wunsch, es auszuleben. Ich war nur unsicher, ob ich es auch könnte oder ob ich mich plötzlich als ungelenke, unerfahrene Liebhaberin erweisen würde (es gab dann tatsächlich diesen grotesk-komischen Moment, als ich ihren BH nicht zu öffnen wusste und es am liebsten rückwärts, als sei es mein eigener, gemacht hätte ...). Und ich hatte Angst. Angst, dass es mir nicht gefallen könnte und ich sie zurückweisen würde, und Angst, dass es mir so gefallen würde, dass ich alle Erfahrungen, die ich mit Männern vorher gemacht hatte, abwerten oder negieren müsste. Ich wollte mit dieser neuen Erfahrung nicht meine Vergangenheit verlieren, ich wollte nicht das, was ich mit Männern als aufregend und schön empfunden hatte, nachträglich, als bedeutungslos umdeuten müssen.

Damals wollte ich einfach sie, diese eine besondere Frau, im ersten Moment, in dem Rausch der Lust, hatte ich nicht darüber nachgedacht, ob ich all die anderen Frauen wollen würde, die auch Frauen begehren, ob ich Angehörige einer Identität sein wollte. Nicht, weil lesbische Frauen mir nicht gefielen, nicht, weil sie mir unsympathisch gewesen wären, sondern weil ich nicht Mitglied einer Partei werden wollte, sondern nur mit dieser Frau schlafen.

Aber, nach einer Weile, nach der ersten Nacht, dem ersten Tag, nach all den weiteren Begegnungen, Tagen und Nächten, als die Lust nur größer wurde und ich mich immer weiter hineinliebte, tauchte schließlich die Frage auf: Wer würde ich sein, wenn ich nicht mehr Männer, sondern auf einmal Frauen liebte? Was veränderte das? Musste das etwas verändern? Wollte ich, dass sich etwas veränderte? Fühlte ich mich denn anders?

Damals war mein erster Reflex zu sagen: Das verändert gar nichts. Warum sollte das auf einmal alles verändern? Warum sollte mein Begehren allein bestimmen, wer ich war, warum sollte, mit wem ich schlafe, zu wem ich komme, warum sollte das irgendetwas ändern, wie sollte das relevant sein für mein Leben, warum sollte es eingreifen in mein Denken, mein Schreiben, meine Arbeit, meinen Freundeskreis? Konnte ich darüber, wie sehr meine Lust mein Leben bestimmt, nicht selbst entscheiden?

War das meine »Natur«? War es angeboren? Musste ich von nun an Frauen lieben? Gewiss, das Verlangen breitete sich derart dringlich in mir aus, dass ich wirklich keine Wahl hatte, aber ich wollte es auch, ich wollte diese Lust auch *leben*, nicht nur einmal, nicht nur heimlich, sondern wieder und wieder, offen, ich wollte, dass sie mich nicht nur flüchtig erfasst, sondern dass sie mich überwältigt und bleibt. Ich weiß, dass es eine Strategie sein kann zu behaupten, Homosexualität sei unabänderlich, sei angeboren, sei keine Wahl. Ich weiß, dass das eine Antwort sein soll auf diejenigen, die Homosexualität verbieten und Homosexuelle umerziehen wollen, als hätten wir einen Sprachfehler, aber schon damals mochte ich diese Variante der biologistischen Selbst-Entmündigung nicht, mit der die eigene Homosexualität als Natur erklärt wird, die man wie ein Schutzschild vor sich hertragen soll.

Gewiss, es mag für dieses Begehren genetische Konditionierungen geben, ich bezweifle nicht, dass es eine natürliche Disposition zur Homosexualität geben kann. Aber: Ich bin nicht nur homosexuell, weil die Natur das so bestimmt hat, weil ich nicht anders sein kann. Ich bin auch homosexuell, weil es mich glücklich macht, weil ich mich in Frauen hineinlieben *möchte*, weil sich meine Lust und mein Leben so richtig anfühlen, und weil ich mich für diese Art zu lieben entschieden habe, damals als ich zum ersten Mal eine Frau sah, als ich sie wollte, ihren Körper, ihre Lust, und ich merkte, dass ich davon nicht genug bekommen kann.

»*Home is where we start from*«, hat der Psychologe D. W. Winnicott einmal gesagt, Heimat ist das, von wo wir ausziehen, wo wir beginnen. Nicht mehr und nicht weniger. Es ist nicht das, wo wir bleiben, es ist nicht das, was uns unverändert begleitet. Die Wanderschaft, auf die wir uns begeben, auf der wir unserem Begehren nachgehen, diese Unruhe, die uns angetrieben hat, das Gefühl des Exils ist die Quelle für das Suchen nach einem anderen Zuhause, nach einer anderen Heimat. Als ich das erste Mal mit einer Frau schlief, das zweite, das dritte Mal, war ich angekommen.

Nachträglich kann ich sagen: Ich musste meine früheren Erfahrungen nicht umdeuten oder entwerten: Die Lust, die ich mit Männern erlebt hatte, blieb die Lust, die ich mit Männern erlebt hatte. Nur war das eben erst der Anfang. Die Lust, mit einer Frau zu schlafen, war und ist für mich umfassender, das Begehren überwältigender als alles andere. Vielleicht weil es weniger vorgeprägt und dadurch weniger gewiss ist, vielleicht weil meine eigene Lust, die Art und Weise, wie ich mich in die andere hineinliebe, in den anderen Körper hineinliebe, weniger selbstverständlich ist, wie ich eine Frau berühre, scheint in diesem Unbestimmten offener, ich fühle mich freier, wenn ich die Lust der anderen tastend, suchend, erspüren kann, mit Lippen oder Händen oder meinem ganzen Körper, wenn es kein Zentrum mehr gibt und keine Peripherie, sondern alles möglich erscheint, ich alles sein kann und darf, in dieser Lust, frei von allen Bildern und Zuschreibungen, was lustvoll, weiblich, erregend oder verboten sein soll, frei von allem Zweifel oder Schutz, rückhaltlos, verletzbar, außer mir und in mir zugleich.

Und es hat seither nicht mehr nachgelassen. Es ist tiefer geworden, hat sich verschärft, hat genauere Konturen bekommen, vermutlich weil ich selbst und mein Leben durch meine Sexualität genauere Konturen bekommen haben.

*

Manchmal habe ich Daniel noch gesehen, als er unsere Schule schon verlassen hatte. In der Kneipe, in der sich immer alle zum Trinken und Billardspielen trafen. Oder unten am Fluss. Daniel hatte ein Krad, ein kleines Motorrad, seit er auf die Realschule gewechselt war. Vielleicht weil er besser die längere Strecke zur Schule zurücklegen konnte, vielleicht weil er leichter in der Gärtnerei mithelfen und selbständig zu den Gärten der Kunden fahren konnte. Bei Sonnenuntergang tauchte er manchmal mit dem Krad am Fluss auf, stellte es ab und wanderte zum Strand. Er hatte neue Freunde. Oder Bekannte. Es war von außen nicht zu erkennen, ob er eine Clique gefunden hatte, ob die Typen, mit denen er rumhing, seine Freunde waren, ob er sich wohl fühlte in ihrer Nähe oder ob er schon froh war, dass er nicht ausgeschlossen blieb.

Wir grüßten uns, meist aus der Distanz, lächelnd und schüchtern, als seien wir nicht bekannt, wollten uns aber gern kennenlernen. Und irgendwie stimmte das ja auch.

*

Und dann, schließlich, verband sich Sexualität mit dem Tod. Die ersten Nachrichten von der noch unbekannten Epidemie Aids, damals noch A. I. D. S. geschrieben[46], erreichten uns aus den Vereinigten Staaten. Der *Spiegel*, insbesondere Hans Halter, berichtete ab 1983 von der »Epidemie, die erst beginnt«, und verbreitete Angst vor einer Krankheit, die als Krankheit zum Tode beschrieben wurde.

Alles schien unklar. Was dieses Bündel an unterschiedlichsten Symptomen eigentlich einte, ob es eine eigenständige Krankheit war oder nur ein Zustand, der den Ausbruch anderer Krankheiten erleichterte, wie die Übertragungswege aussahen. In diese Unwissenheit hinein projezierte sich nur *eine* vermeintliche Gewissheit: Es trifft »die Anderen«. Aids sollte »uns« von »denen« scheiden helfen. »Wir«, das waren Frauen oder treue, heterosexuelle Männer, »die Anderen«, das waren sexsüchtige, schwule Männer und Drogensüchtige. »Wir«, so suggerierten es die ersten Berichte und Diskussionen, würden verschont. Aids, die »rosa Pest«, das war vorgeblich eine Schwulen-Krankheit.

Was immer es war, das Homosexualität vorher verhüllt und in Unsichtbarkeit gezwungen hatte: Scham oder Tabuisierung, Zensur oder Repression, Diskretion oder Angst – es war vorbei. Homosexuelle Lust wurde auf einmal nicht mehr beschwiegen, sondern mit einer Mischung aus moralisierender Abscheu und ungezügelter Schadenfreude wurden nun alle Details jeder sexuellen Praxis homosexueller Männer ausgebreitet und bewertet.

Hans Halter zitierte im *Spiegel* im Juni 1983 den Berliner Bakteriologen Professor Franz Fehrenbach, der bei der Frage, ob und warum nur homosexuelle Männer von der Ansteckungsgefahr betroffen wären, antwortet, vielleicht habe

»der Herr für die Homosexuellen immer eine Peitsche bereit«.[47]

Schwule, jene unbekannten Gestalten, die bis dahin nur heimlich und vereinzelt ihr Begehren leben konnten, wandelten sich, in den Berichten über Aids, nun zu Horden promisker Sexsüchtiger, die wilde Orgien feierten, in Clubs und Saunas, und die besinnungslos übereinander herfielen. Und auf einmal wurde auch über Sex gesprochen. Zwar immer gekoppelt an die moralische Abwertung, immer gekoppelt an die epidemische Gefahr, immer in Begriffen des »Unreinen«, Krankhaften, Bedrohlichen, aber immerhin wurde überhaupt von sexuellen Praktiken gesprochen, in einer Konkretion, wie es vorher, zumindest in unserer Welt auf dem Gymnasium, undenkbar erschien.

Auf einmal waren »Analverkehr«, »ejakulierte Samenflüssigkeit«, »Darm- oder Mundschleimhaut«, die Organe und Praktiken der »fröhlich swingenden Homosexuellen« (Halter) selbstverständliche Begrifflichkeiten, mit denen »die schwule Lust« und die medizinischen Ursachen der Infektion erörtert werden sollten. Sollte diese Debatte die Strategie verfolgt haben, homosexuelle Lust als verabscheuungswürdig zu deklassieren, so misslang sie vermutlich nicht nur bei mir. Vielleicht lag das auch daran, dass gelegentlich die heterosexuellen Autoren, unfreiwillig, neidisch klangen. Ein Beispiel aus dem Jahr 1984:

»Vielleicht versteht man besser, warum viele Homos das promiske Treiben nicht lassen (können), wenn man sich, nur mal gedankenweise, vergleichbare sexuelle Freiheiten für Heteros vorstellt: kein Standesamt mehr und kein Trau-schein, aber Whirlpools und Champagner und im Ruhe-raum die schönen Mädchen zur freien Auswahl. Ein Flirt in dunkler Nacht und schon verweht.«[48]

Das liest man und denkt: armer heterosexueller Autor, dass er sich »nur mal gedankenweise« vorstellen möchte (wie man sich etwas nicht gedankenweise vorstellen soll, bleibt offen), wie es wäre, »frei« zu sein. Mal abgesehen davon, dass auch die Vorstellung von einem schwulen Leben, das nur aus »Whirlpool und Champagner« besteht, schon abstrus ist.

Es wurden schlechte Witze erzählt über Aids, Mathematiker begannen statistische Berechnungen, die Sex quantifizieren wollten, um so die Ausbreitung der Krankheit in astrono-mischen Szenarien zu prognostizieren, es kursierten Visio-nen von Quarantänezonen für Infizierte – und all die alten Motive vom »gesunden Volkskörper«, der geschützt werden müsste, tauchten wieder auf.

Ich weiß nicht, wie mich diese öffentliche Debatte beeinflusst hätte, wenn ich Tom nicht gekannt hätte. Ich weiß nicht, ob ich diese neu gesetzte Ordnung, hier die verschonten Hete-rosexuellen, dort die gefährdeten Homosexuellen, hier der unproblematische, gesunde, dort der krankhafte und krank-machende Sex, überzeugend gefunden hätte. Vielleicht wäre ich anfälliger gewesen für diese Grenze, die mit dem Auf-kommen von Aids täglich neu gezogen wurde.

Aber ich hatte einen Freund, Tom, und er wurde mir nicht fremder, nicht bedrohlicher, sondern vertrauter, er rückte noch näher, weil er nun verwundbarer schien als vorher. Ich hatte nicht Angst vor ihm, sondern Angst um ihn. Wir gingen weiter aus, wir reisten zusammen zu Wochenendtrips nach Berlin und tanzten die Nacht im »Linientreu« durch, wir entdeckten gemeinsam die Musik von Bronski Beat mit Jimmy Somerville.

Es war gewiss nicht so beabsichtigt, aber meine Vorstellung von Freundschaft wurde auch mit und durch diese ersten Debatten über Aids geprägt: Freundschaft verband sich mit der Vorstellung von Fürsorge, von potentiell letzter Fürsorge, das war bei Tom gar nicht nötig, aber alle Geschichten aus den USA legten nahe, dass wir uns selbst umeinander kümmern müssten. US-Präsident Ronald Reagen hatte bis 1984 noch nicht einmal das Wort »Aids« erwähnt. Edward N. Brandt, Staatssekretär im US-Gesundheitsministerium, erklärte, eine Panik sei nicht angezeigt, da es keine Hinweise gäbe, dass die Epidemie »aus den bekannten Risikogruppen ausbricht«. Sprich: Solange es nur Schwule, Drogensüchtige und Haitianer trifft, sei es nicht weiter beunruhigend.

»Es ist viel verlangt von Homosexuellen, dass sie ihre Kranken nicht allein lassen sollen; es ist, in gesunden Tagen, ihr eigener Anspruch, und er wird – darüber zeigen alle behandelnden Ärzte Erstaunen – eingelöst.«[49]

Ich war nicht homosexuell, Tom war nicht HIV-infiziert, und doch schloss sich der Kreis um uns, und erstmals fühlte es sich wie ein Schutz an, einer, den wir uns selbst gewähren würden, wie eine Familie, nur eine, die wir wählen konnten, die nicht aus Gleichen oder Angehörigen bestehen musste, sondern aus Freunden. Als später deutlich wurde, dass nicht nur schwule Männer, sondern jede und jeder betroffen sein kann, als nach und nach die Gefahr für Hämophile, Empfänger von Blutkonserven, heterosexuelle Männer, Frauen und Kinder deutlich wurde, da änderte sich dieser Begriff von Freundschaft und Familie nicht mehr.

*

Der Junge lag in einem stählernen Bettgestell und kratzte sich. An der linken Stirnseite, vom Ohr aufwärts, wölbte sich eine halbrunde Narbe, wie ein schrumpeliger Blinddarm, und über den ganzen dunklen Schädel zog sich ein weißer, fleckiger Pilzbefall bis in den Nacken hinein. An manchen Stellen hatte sich Schorf gebildet, der die spärlichen Haare zu gräulichen Klumpen verklebte. Eine Nacht zuvor war das sieben Monate alte Kind vor der Polizeistation von Meru, Kenia, gefunden worden. Irgendjemand hatte den Kleinen ausgesetzt, weil er offensichtlich unerwünscht war. Vielleicht wollte die Mutter kein krankes Kind, vielleicht wollte sie kein HIV-positives Kind, vielleicht waren ihr die Kosten für ein Wesen, das ohnehin stürbe, zu hoch, vielleicht ekelte sie das Aussehen des Kleinen. Vielleicht gab es gar keine Mutter mehr, vielleicht nur eine Großmutter. Vielleicht.

Die Ärzte hatten dem Kleinen einen Namen gegeben und Antibiotika gegen die Streptokokkeninfektion, und so lag der Junge, der jetzt Trevor hieß, auf einer grünen Gummimatratze und einer dünnen Wolldecke in einem großen, dreckigen Saal und kratzte sich langsam den Kopf wund. Im Bettchen neben Trevor stand ein Mädchen mit dunklen welligen Haaren aufrecht und hielt sich an der obersten Kante fest, damit sie besser auf das Geschehen um sie herum schauen konnte.

Seit einer Woche hielten die Ärzte die Zweijährige mit den riesigen, aufmerksamen Augen schon auf der Kinderstation des General Hospitals von Meru. Irgendjemand hatte sie in der Nähe ausgesetzt. Anders als Trevor war die Kleine nicht krank, anders als Trevor hatte sie kein HIV, die Ärzte hatten alles untersucht. Sie war lediglich taub, sie konnte nichts hören, weder den Fernsehapparat an der Wand, auf dem die Krankenschwestern Daily Soaps anschauten, noch das Rütteln am Gitter im Bett neben ihr, in dem ein fast ausgewachsener Junge mit zerebraler Lähmung lag. Vielleicht wollte die Mutter kein taubes Kind, vielleicht war das Mädchen beim Vater aufgewachsen, ohne Mutter, und eine neue Stiefmutter konnte nichts mit ihm anfangen – so wurde es eben weggeworfen wie fauliges Obst.

»Hier werden Kinder nicht wahrgenommen«, sagte Dr. Felix Oindi, der behandelnde Arzt auf der Kinderstation, »alles andere ist wichtiger als Kinder.« Und so lagen hier alle die, die nicht gewollt waren, Babys, die in öffentliche Latrinen geworfen wurden, misshandelte Kinder, vergessene, missbrauchte, kranke, verwundete, gesunde Kinder.

Eine Woche hatten wir die Arbeit einer lokalen Organisation begleitet, die Kinder vor ihren eigenen Familien rettet: Jungen, die von ihrem Vater mit einer Machete angegriffen werden, elfjährige Mädchen, die von ihrem Nachbarn oder ihrem eigenen Großvater schwanger sind, HIV-positive Babys, die verletzt werden, weil sie als unnütz und zu teuer gelten, Vierjährige, die vom Vermieter vergewaltigt werden, Mädchen, die fürchten müssen, erneut misshandelt zu werden, die das Stigma, das auf den Opfern, nicht den Tätern ruht, zwingt, fliehen zu müssen.

Eine Woche hatten wir miterlebt, wie verzweifelt nach Familien gesucht wird, die bereit wären, diese Kinder aufzunehmen, weil die Justiz sie nicht schützen kann, als ich eines Abends, an dem Tag, an dem wir im Krankenhaus an dem Bett von Trevor gestanden hatten, fragte, ob ich nicht eines dieser Kinder adoptieren könnte.

Die Antwort war schlicht und deutlich: Homosexualität sei in Kenia illegal. Jemand wie ich würde nie ein Kind bekommen.

Da vegetieren ein Dutzend Kinder vor sich hin, Babys, Kleinkinder, HIV-positiv oder taub, kranke, versehrte Kinder oder gesunde, die niemand will, die niemand zu ernähren oder zu lieben weiß, Kinder, die, wenn sie Glück haben, von Heim zu Heim geschickt werden, weil es zu wenig Familien gibt, die sie aufnehmen wollten, und keines dieser Kinder dürfte zu mir, weil ich illegal bin? Keines dieser Kinder dürfte bei mir leben, weil ich homosexuell bin? Wie viel schädlicher als das, was diesen Kindern schon angetan wurde, kann wohl meine Homosexualität sein?

Genaugenommen stimmt das nicht. Das kenianische Gesetz verbietet nur männliche Homosexualität. Frauen werden nicht einmal erwähnt. Bleibt zu fragen, ob etwas, das *de jure* nicht existiert, ein lesbisches Paar, *de facto* ein

Kind adoptieren könnte. Die Vorstellung, dass Homosexuelle keine Kinder adoptieren dürfen, existiert nicht nur in
Kenia. Wenn ich es wirklich wollte, könne ich doch lügen,
hatte mir mein Fotograf geraten, aber ich will nicht lügen
bei der Frage, ob ich ein Kind adoptieren darf, ich will nicht
so tun müssen, als wäre ich alleinstehend, als wäre ich Sin-
gle. Einerseits, weil ich das nicht bin, andererseits, weil ich
nicht einsehe, warum es besser für ein Kind sein soll, bei
einer alleinstehenden Mutter aufzuwachsen als bei zwei
Müttern.

Auch in Deutschland ist es homosexuellen Paaren nicht gestattet, ein fremdes Kind zu adoptieren. Die rot-grüne Regierung hat die Novelle des Lebenspartnerschaftsgesetzes,
das so heißt, damit es nur ja nicht »Ehe« heißt, immerhin
so erweitert, dass seit dem 1. Januar 2005 auch Homosexuelle das biologische Kind ihres Partners / ihrer Partnerin
adoptieren können. Damit wurde die »Stiefkind-Adoption«
legalisiert. Anders als in Andorra, Argentinien, Belgien, Dänemark, Großbritannien, Island, Irland, den Niederlanden,
in Norwegen, Schweden, Spanien und Südafrika dürfen in
Deutschland aber nach wie vor Schwule und Lesben kein
fremdes Kind gemeinsam adoptieren.[50]

Auf den Vorschlag von der damaligen Bundes-Justizminis-
terin Brigitte Zypries (SPD), homosexuellen Paaren das volle
Adoptionsrecht zu geben, entgegnete Volker Kauder (CDU)
noch im Sommer 2009: »Es geht bei dem Vorschlag allein
um die Selbstverwirklichung von Lesben und Schwulen und
nicht um das Wohl der Kinder.«[51]

Vielleicht ist es gut, dass Kauder das formuliert, was sonst am spätbürgerlichen Küchentisch ausgesprochen und in der Öffentlichkeit verschluckt wird, weil sich so wenigstens darauf antworten lässt.

Warum sollten wir keine Kinder adoptieren dürfen? Bei Herrn Kauder klingt es so, als sei Selbstverwirklichung etwas Verachtenswertes. Aus welchen Gründen bekommen denn heterosexuelle Paare Kinder? Und warum sollte das dem Wohl dem Kindes widersprechen? Wer definiert das: das Wohl des Kindes?

Warum gibt es in einem Land, das sich dauernd auf die Tradition der Aufklärung und der Säkularisierung beruft, Gesetze, die der Gegenaufklärung verpflichtet scheinen, warum gibt es in einem Land, das die Gleichheit vor dem Gesetz verkündet, immer noch Gesetze, die die Ungleichheit festschreiben, warum müssen wir wieder und wieder definieren, *was* alles gleich sein kann, nicht nur Männer, nein, auch Frauen und Transsexuelle sollen gleich behandelt werden, nicht nur Christen, nein, auch Juden oder Muslime oder Roma, nicht nur Andersgläubige, sondern auch Nichtgläubige müssen als Gleiche behandelt werden, warum reicht es nicht, einmal zu sagen, alle Menschen sind vor dem Gesetz gleich, die Würde des Menschen ist unantastbar, und dann ist sie für nichtweiße, nichtheterosexuelle, nichtchristliche, nichtmännliche Menschen irgendwie bei Bedarf doch antastbar, warum müssen wir über Jahrzehnte klären, wer alles als Mensch zählt?

Warum gilt die Ehe als heilig, als unantastbar, warum nicht die Menschen, die sich in ihr zusammenfinden wollen, warum dürfen die exakt selben Lebensformen, die exakt selben Bindungen nicht denselben Namen »Ehe« tragen, warum dürfen Homosexuelle nur »verpartnert« und nicht verheiratet sein, warum gibt es nach wie vor Gesetze, die uns verbieten, Kinder zu adoptieren, warum gibt es immer noch Rechte, die allein Heterosexuellen vorbehalten sind, warum? Warum kann die Ehe nicht einfach für die offenstehen, die sie wollen, mit allen Rechten und Pflichten, ganz gleich, ob heterosexuelle oder homosexuelle Paare, es wäre ein einfacher juristischer Akt, Spanien hat es vorgemacht.

Es ist bemerkenswert: Mehr als die Hälfte der bürgerlichen Ehen und Familien zerbricht im Schnitt, laut Statistischem Bundesamt kamen im Jahr 2009 auf 378 439 Eheschließungen 185 817 Scheidungen, die Geburtenraten sind niedrig, Feuilletonisten und Politiker beschwören die Gefahr der demographischen Entwicklung, im Jahr 2010 überstieg die Zahl der Gestorbenen die der Neugeborenen um 180 821, aber nach wie vor soll die »Ehe« als Institution beschränkt bleiben auf heterosexuelle Paare, soll gesetzlich geschützt werden vor ihrem angeblichen Verfall, als würden Homosexuelle, die heiraten möchten, die Ehe unterwandern, und nicht Heterosexuelle, die die Ehe auflösen, da gilt der Wunsch von Homosexuellen, Kinder zu adoptieren als »Selbstverwirklichung«, und gleichzeitig wird der Kindermangel in Deutschland beklagt.

Ich gebe zu, ich bin nicht sicher, was alles dem Wohl eines Kindes dient, ich bin so unsicher wie alle, die keine Kinder haben, vielleicht so unsicher wie alle, *die* Kinder haben. Mir erscheint die Aufgabe, ein Kind großzuziehen, ein magisches Glück und eine beträchtliche Verantwortung, ich weiß nicht, ob ich immer die perfekte Mischung aus Geduld und Ungeduld aufbrächte, ob ich die Balance fände, ein Kind zu fordern und zu schützen, je nach Bedürftigkeit, wie es mein Bruder schafft, ob ich so wunderbar wie meine eigene Mutter wäre, die unbedingt zu lieben und gleichzeitig loszulassen wusste, ob mein Kind jeden Unsinn, den ich damals machen durfte, auch machen dürfte, ob es mich nicht irgendwann auch nervig, konservativ und zu streng fände – doch, das ist vielleicht das Einzige, dessen ich mir ziemlich sicher bin: Es fände mich bestimmt nervig, konservativ und zu streng.

Ich gebe zu, mir scheint eine Familie immer ein gewagtes Unterfangen, ganz gleich, welche Art von Familie es ist, eine mit zwei Müttern oder eine mit einem Vater und einer Großmutter. Mir erschien es immer schon fragwürdig, dass ein solch komplexes Gebilde als das Selbstverständlichste von der Welt gilt, dass behauptet wird, es sei so leicht, wo es das schon für unsere Eltern und Großeltern nicht war, als gäbe es diese Geschichte der Verletzungen nicht, als gäbe es nicht all die Geheimnisse und Lügen, all die Schmerzen und Verluste, die weitergereicht werden von Generation zu Generation als eine Last, die alle niederdrückt.

Aber warum sollte ich es nicht versuchen dürfen? Warum sollten Homosexuelle an dieses Glück nicht glauben dürfen, warum sollte der Wunsch, ein Kind zu haben, bedenklich sein? Was an dieser Sehnsucht ist nun verwerflich?

Nicht nur die gemeinsame Adoption von Kindern ist homosexuellen Paaren nicht gestattet. Auch künstliche Befruchtung durch einen fremden Samen von einer Samenbank ist in Deutschland, anders als beispielsweise in den USA, Dänemark oder Israel, erschwert, weil Ärzte, die solche »assistierte Reproduktion« durchführen, gegen Richtlinien der Bundesärztekammer verstoßen. Während heterosexuelle Paare, die keine Kinder bekommen können, sich durch eine »heterologe Insemination«, also die künstliche Befruchtung durch einen fremden Samenspender, den gemeinsamen Kinderwunsch erfüllen dürfen, schließt die Bundesärztekammer in den Kommentaren zur Richtlinie zur »assistierten Reproduktion« von 2006 dies für lesbische Paare ausdrücklich aus.[52] In den Kommentaren argumentiert die Bundesärztekammer, die assistierte Reproduktion sei zur Zeit bei Frauen ausgeschlossen, die in keiner Partnerschaft oder in einer gleichgeschlechtlichen Partnerschaft leben, weil bei ihnen keine stabile Beziehung des Kindes zu zwei Elternteilen gewährleistet sei.

Das ist insofern absurd, als ja ein (lesbisches) Paar die Ärzte aufsucht, also ausdrücklich zwei Menschen sich wünschen, Eltern eines Kindes zu werden, und das Kind durch die Partnerin der biologischen Mutter als Stiefkind adoptiert werden kann.[53] Ärzte, die lesbischen Paaren bei einer assistierten Reproduktion helfen, riskieren in dieser juristischen Unsicherheit den Verlust ihrer ärztlichen Approbation.

Warum dürfen wir das nicht? Warum wird die »Natur« und die »Natürlichkeit« bei heterosexuellen Paaren ganz selbstverständlich als irrelevant behandelt, warum darf ihnen die medizinische Reproduktionstechnik ganz selbstverständlich zu Hilfe kommen, nur bei homosexuellen Paaren darf dieselbe Technik, künstliche Befruchtung, nicht den Kinderwunsch erfüllen helfen. Wenn wir doch offiziell endlich so lieben dürfen, wie wir lieben, warum sollten wir dann keine Kinder bekommen, keine Kinder aufziehen dürfen? Weil dann nicht nur die heilige Institution der Ehe, sondern auch die bürgerliche Familie in Frage gestellt würde? Was ist denn wirklich bürgerlich an der bürgerlichen Familie? Die Personen oder die Form? Die Männlichkeit der Männer und die Weiblichkeit der Frauen? Das war doch nicht einmal bei den Buddenbrooks so.

De facto gibt es diese Familien längst. Wir sind umgeben von Kindern unserer schwulen und lesbischen Freunde, sie wachsen mit uns auf, angenommene oder ausgetragene Kinder, und unsere Freunde sorgen sich um sie, so wie alle anderen Eltern oder Angehörige sich um ihre Kinder sorgen. Wenn ich an die Kinder in unserem Freundes- und Bekanntenkreis denke, an Furio oder Viva, Ben oder Isaac, dann denke ich daran, wie verknautscht sie aussahen gleich nach der Geburt, wie sie rücksichtslos die edlen Hemden ihrer Väter vollsabberten, wie sie Ski fahren gelernt haben mit ihren Müttern, an die Bilder vom ersten Schultag oder von der Bar-Mizwa, und ich denke nicht daran, woher sie zu uns gekommen sind, ob es eine künstliche oder natürliche Befruchtung war oder ob ihre strahlenden Eltern schwul oder lesbisch sind.

Es gibt Kinder, die haben zwei Mütter und einen anonymen Vater von der Samenbank, den sie nie kennenlernen werden, es gibt Kinder, die haben eine Mutter und zwei Väter, ein schwules Paar, von denen einer der biologische Vater ist, es gibt Kinder, die haben zwei Mütter, die zusammenleben, und einen Vater, der seinen Sohn so oft sehen darf, wie er es möchte, manche Väter sind ehemalige Freunde, manche sind schwul, manche heterosexuell, manche wollen anonym bleiben, manche wollen eine Rolle spielen im Leben ihres Kindes, manche als väterlicher Freund, manche als Väter, meistens wollen vor allem alle Großeltern unbedingt Groß-eltern sein.

Gewiss, das ist neu. Es ist neu, dass Männer eine Mutter für ihr Kind suchen, die nicht gleichzeitig ihre Geliebte ist, es ist neu, dass Frauen einen Vater für ihr Kind suchen, der nicht gleichzeitig ihr Geliebter ist, es ist ungewohnt: Elternschaft entkoppelt von einer Beziehung zwischen zwei Menschen zu denken. Aber gibt es das nicht auch unter heterosexuel-len Paaren und Familien, nur weniger öffentlich: Wie viele Kinder kenne ich, die ihre Väter nicht kennen, die allein mit ihrer Mutter aufwachsen? Wie viele Kinder haben Eltern, die keine Beziehung mehr miteinander leben? Und wie viele Männer suchen sich ihre Frauen danach aus, ob sie sich als Mutter ihrer Kinder vorstellen können? Ist das wirklich so anders?

Anders ist, dass bei uns Kinder nie ungewollt entstehen. Wir müssen nicht nur darüber nachdenken, ob wir Kinder haben wollen, sondern auch darüber, wie wir sie haben wol-len. Das zwingt einen, sich Fragen zu stellen, die eigenwillig rational klingen, auch wenn sie letztlich ein unendlich fein gesponnenes Netz an Emotionen ausmachen: Bedeutet es für mich einen Unterschied, ob mein Kind biologisch von mir abstammt oder nicht, möchte ich ein Kind gebären oder möchte ich ein Kind annehmen? Wenn ich eines annehmen möchte, soll es aus einer bestimmten Region der Welt kommen oder ist mir das egal? Wie biologistisch denke ich, wie rassistisch? Liegt mir ein Kind aus Vietnam eher als eines aus Kenia? Warum? Wenn ich ein Kind gebären möchte (mit einem anonymen Samenspender oder einem Freund, der sich als Vater / Spender zur Verfügung stellt), was bedeutet das für meine Partnerin, die ein Kind mit aufzieht, das nicht mit ihr verwandt ist? Ich kann diese Fragen alle abtun – aber sie tauchen auf.

Ich habe sie einmal für mich durchgespielt. Ich wusste nicht, ob ich wirklich ein Kind haben wollte, aber ich wurde langsam Ende dreißig, und ich wusste, ich *musste* es durchspielen, weil es sonst zu spät sein würde. Ich wollte wissen, ob ich es *könnte*, ein Kind bekommen, und ich wollte wissen, wie. Damals dachte ich, wenn ich ein Kind haben wollte, dann wollte ich es auch selbst gebären. Also brauchte ich einen Vater. Die Variante einer Samenspende von einer anonymen Samenbank im Ausland schied umgehend aus. Ich kenne Kinder von Freundinnen, die auf diese Weise gezeugt wurden, sie sind hinreißend. Trotzdem mochte ich mir das für mich nicht vorstellen.

Blieb also die Variante, einen Bekannten oder einen Freund zu fragen, ob er als Vater zur Verfügung stünde. Aber wollte ich das wirklich? Wollte ich einen Mann in meinem Leben, neben meiner Freundin und dem Kind? Wollte ich ein Kind zu dritt aufziehen? Oder gar zu viert, wenn der Vater noch einen Freund hätte? Mir erschien schon eine Familie zu dritt anspruchsvoll, wie sollte das erst zu viert oder zu fünft werden? Müsste ich dann mit dem Vater meines Kindes auch eine Art Beziehung führen?

Mich hatten schon einige schwule Freunde im Freundeskreis gefragt, ob ich nicht mit ihnen zusammen ein Kind wollte. Wollte ich nicht. Die meisten meiner heterosexuellen Freundinnen, die sich die schönen, schwulen Männer anschauten, fanden das eine reichlich dämliche Entscheidung. »Was für 'ne genetische Verschwendung.«

Ich überlegte, ob es einen Freund gäbe, den ich tatsächlich auch als Vater um mich haben wollte, jemanden, den ich so mochte und liebte, dass ich mir eine solche erweiterte Familie vorstellen könnte. Da gab es nur einen – aber er wollte nicht. Ich vermute, ich an seiner Stelle hätte das auch nicht gerne gewollt. Die Folgen für sein eigenes Leben, seine eigene (heterosexuelle) Beziehung, seine eigenen Wünsche, irgendwann einmal eine Familie zu gründen, all das war zu unüberschaubar. Es war eine indiskrete, eigentlich unmögliche Frage, eine Zumutung vielleicht auch, und ich konnte verstehen, dass er umgehend ablehnte.

Für eine Weile ruhte das Thema. Ich mochte diese Art des Nachdenkens nicht. Ich kam mir merkwürdig darin vor. Nicht auf Brautschau, sondern auf Vaterklau. Aber nach einer Weile präzisierten sich die Intuitionen. Am liebsten hätte ich einen Vater, der weit weg wohnte, einen, den es gäbe, den mein Kind kennenlernen könnte, wenn es sich das wünschte, aber der nicht jeden Abend bei uns in der Küche säße, um mitzudebattieren, ob wir für oder gegen Impfungen seien oder ob Latein heutzutage wirklich noch nötig wäre.

Ich dachte also an meine Freunde, heterosexuell oder schwul, und fragte mich, ob ich sie gerne als Vater meines Kindes hätte. Wenn ich ehrlich bin, fragte ich mich: was für ein Kind es wohl wäre, das ich von ihnen hätte, und ob es mir gefiele, was sie eventuell weiterzugeben hätten. Als ich so weit war, mir selbst einzugestehen, dass das die Frage war: Was würde mein Kind von diesem Mann mitbekommen, war es ganz einfach. Ich wusste sofort, ich wollte ein Kind von einem amerikanischen Freund von mir: Er ist sinnlich und sportlich, er isst und liest gleichermaßen gerne, und alle in seiner Familie sind großherzig und glücklich, seine Eltern, seine Geschwister und er selbst auch, alle sind wirklich glücklich. Was konnte schöner sein, als wenn er etwas davon einem, meinem, unserem Kind weitergäbe?

Bei meiner nächsten USA-Reise besuchte ich ihn. Nach kurzer Bedenkzeit sagte er ja. Es gab eine Bedingung, die er stellte und die ich akzeptabel fand. Und so flog ich glücklich und erleichtert zurück. In den Jahren seither ist es als Wunsch nicht mehr aufgetaucht. Ich vermute, langsam wäre es auch zu spät. Aber ich bin beruhigt, weil ich weiß, dass ich es gekonnt hätte, dass es einen Freund gibt, von dem ich ein Kind hätte haben können.

*

Wenn ich darüber nachdenke, wie ich mich manchmal vor allem als Homosexuelle verstehe, manchmal aber nicht nur, wie ich manchmal das »wir« richtig und stimmig finde, manchmal aber mich nach dem »ich« sehne, dann fällt mir dieses alte, berühmte Bild ein:

Und die Diskussion darüber, was das ist.[54]

Ein Hasenkopf ist eine mögliche Antwort. Ich kann in dem Bild zunächst nichts anderes erkennen als einen Hasen mit zwei langen Ohren, mit einer Blickrichtung nach rechts – dann würde ich sagen: »Das ist ein Hase« oder »Das ist ein Bild von einem Hasen« oder »Ich sehe einen Hasen«.

Warum mir das einfällt? So eindeutig, wie in dem Bild ein Hasenkopf zu erkennen ist, so eindeutig könnte jemand anderes, zu Recht, behaupten, darin einen Entenkopf zu sehen.

Eine Ente, mit einem leicht geöffneten Schnabel, mit einer Blickrichtung nach links. »Das ist eine Ente«, »Das ist ein Bild von einer Ente« oder »Ich sehe eine Ente«, könnte auch jemand sagen. Für Wittgenstein, der das berühmte Hasen-Entenkopf-Bild in seinen *Philosophischen Untersuchungen* diskutiert[55], würde niemand beim ersten Betrachten sagen:

»Ich sehe das jetzt als einen Hasen«, sondern die Wahrnehmung wird als eindeutig und unzweifelhaft empfunden, und lediglich mitgeteilt.»Das ist ein Bild von einem Hasen«. Es ist eine festlegende Wahrnehmung.

Was geschieht nun, wenn der, der erst nur einen Hasen (oder nur eine Ente) sieht, die Doppeldeutigkeit des Hasen-Enten-Kopfes erkennt? Die Wahrnehmung kippt, wechselt, auf einmal wird aus den Ohren ein Schnabel oder umgekehrt, ich sehe das Bild mal als einen Hasen, mal als eine Ente, die in entgegengesetzte Richtungen schauen, das Tier scheint als ein anderes aufzuleuchten. Beides ist »im« Bild.

Es ist nicht »mehr Hase« oder »mehr Ente« in dem Bild, es haben sich keine objektiven Eigenschaften des Bildes verändert, sondern nur *Weisen des Sehens*. Ich war sicher, es handele sich bei der Figur auf dem Bild um einen Hasen (oder eine Ente), ich war gewohnt, darin einen Hasen (oder eine Ente) zu erkennen, aber nun hat sich das Sehen verändert. Ich sehe von nun an *Aspekte* des Bildes, situativ, wandelbar, als eine Möglichkeit des Wahrnehmens.

Dieses Suchen nach anderen Aspekten, nach anderen Figuren in vertrauten Bildern ist keineswegs leicht. Die Bereitschaft, sich von der einen, eingeübten Sehweise zu entfernen und nach der anderen Sehweise zu suchen, ist voraussetzungsvoll. Es gibt eine Untersuchung, wonach Kinder, denen der Hasen-Enten-Kopf an Ostersonntag vorgelegt wurde, mehrheitlich dazu neigten, darin einen Hasenkopf zu sehen, wohingegen Kinder, denen das Bild im Oktober gezeigt wurde, darin eher einen Entenkopf sahen.[56]

Wir schauen aus Gewohnheit auf Figuren und Bilder, in denen wir eindeutig »Väter«zu erkennen glauben, in denen wir unzweifelhaft »Katholiken« zu sehen glauben, wir schauen auf Figuren, in denen wir »Homosexuelle« wahrnehmen, und wir sehen sie nur als das, wir legen uns und die Figuren darauf fest, »es sind Väter«, »Katholiken«, »Homosexuelle«.

Wir erkennen wie bei dem Hasen-Enten-Kopf einzelne Elemente, die uns in unserem Urteil bestätigen, wir erkennen Körperteile, Kleidung, Gesten, Praktiken, Aussagen einer Person, wir betrachten sie und fügen sie ein als Belege für unsere Wahrnehmung, sie bestätigen unser Urteil, »das ist eine Frau«, »das ist ein Jude«, »das ist ein Transvestit«.

Es geht nicht um die Frage, ob sie es objektiv auch sind oder nicht, sondern um die Arten des Betrachtens. Wir sehen einen Mann mit einer Federboa, und wir sehen darin einen »Transvestiten«, zwei Frauen, die Hand in Hand laufen, nehmen wir als »Lesbenpaar« wahr, all dies scheint eindeutig. Nun lässt sich fragen, was geschieht, wenn sich die Aspekte des Sehens wandeln, wenn wir in den Figuren, die wir sehen, nach anderen Figuren suchen.

Was geschieht dann?

Wenn wir in dem Mann mit der Federboa nach dem Vater suchen, der er vielleicht auch ist, wenn wir in dem Lesbenpaar nach den Violinistinnen suchen, die sie vielleicht auch sind, in dem Mann mit der Kippa den Rugbyspieler sehen, der er vielleicht auch ist, in dem Hartz-IV-Empfänger den

Liebhaber, der er vielleicht auch ist, in dem Kind mit Trisomie das glückliche Wesen, das es vielleicht auch ist.

Auch wenn wir dann immer noch einen Transvestiten sehen können, auch wenn wir wissen, dass wir die Frauen immer noch als Lesbenpaar sehen können oder den Mann mit der Kippa als Juden, so sehen wir sie doch anders, weil sich, wie Wittgenstein sagen würde, nicht nur die Beschreibung, sondern das Seherlebnis selbst geändert hat. Der rugbyspielende Jude erscheint auf einmal anders als der, den wir nicht als Rugbyspieler wahrzunehmen vermochten, die lesbischen Kammermusikerinnen erscheinen auf einmal anders, und der Transvestit erscheint, vielleicht, auf einmal als Mutter und Vater zugleich.

Wer sich die Sichtbarkeit erst erkämpfen musste, wer sich die Anerkennung erst in einem langen politischen, juristischen Kampf erstreiten musste, für den ist es ein Triumph, überhaupt gesehen zu werden. Aber ist das schon genug? Ist das, was dadurch entstanden ist, richtig? Will ich so leben? Will ich wirklich immer darauf insistieren: »Ich bin ein Hase, ich bin ein Hase, ich will, dass du mich als einen Hasen wahrnimmst«? Will ich nicht manchmal auch als etwas anderes gesehen werden?[57] Ich bin vielleicht kein Ameisenbär, aber ich bin eben auch nicht immer und ausschließlich nur ein Hase.

Manchmal sehne ich mich danach. Dass es möglich wird, ineinander, in dem Gegenüber, in bestimmten Figuren auch andere Figuren zu sehen, zu schauen, was in dem anderen *noch* zu erkennen wäre, was sie *noch* sein können, neben dem, was man im ersten Moment in ihnen wahrnimmt. Manchmal sehne ich mich danach. Dass ich jemandem sagen kann: Ja, ich bin lesbisch oder schwul, ja, es ist richtig, das in mir zu sehen, aber es ist eben nur eine Weise, mich zu betrachten. Sie ist nicht falsch, sie stimmt, ich erkenne mich darin auch wieder, aber es ist eben nur eine Deutung, in dem Bild ist auch noch anderes zu erkennen, wenn nur die Bereitschaft zum offenen Betrachten da ist, wenn die Bereitschaft da ist, mich auch als etwas anderes zu sehen.

*

Als ich Daniel kaum mehr gesehen habe, als er schon in einer anderen Welt verschwunden schien, verschwand er schließlich ganz. Als wir unser Leben nach dem Abitur planten, unseren Auszug von zu Hause, weg von dem, was uns gehalten hatte, in diesem Moment, als wir aufbrechen konnten, da nahm Daniel sich das Leben.

Ich kenne nicht das Wie und das Warum. Ich war schon zu weit entfernt von ihm. Später hieß es, er sei mit einem anderen Mann gesehen worden. Später. Als es zu spät war. Als nicht mehr zu klären war, was heißen sollte, ob er noch einmal glücklich war, ob er geliebt hat, ob …

»Lange Wahrheiten gibt's und kurze«

Die Wahrheit von Daniel kenne ich nicht. Ich kenne nicht einmal meine. Diese Geschichte besteht aus Wissen und Unwissen, aus einer langen, langsamen Ahnung, die sich nur deuten und umdeuten lässt, die sich nur am Nichtwissen entlang erzählen lässt, wie an einem brüchigen Grat, sie kann nicht wahr, sie kann allenfalls wahrhaftig sein. Ich weiß zu wenig, weil ich damals zu wenig wusste, von mir, meinem Begehren und dem Jungen mit den eckigen Schultern, der neben mir saß.

*

Ich bin schwul geworden. Ich sage immer noch: »schwul«. Vielleicht weil es so daneben klingt, weil es nicht ganz zutreffend ist, weil es das Etikett, das meins sein soll, vertauscht mit einem anderen, wie in einem der Shakespeare'schen Reigen oder in manchen Barockopern, wo die Geliebte nur fand, wer die Kleidung eines anderen stahl, weil dieses Gefühl, dazuzugehören und nicht dazuzugehören am wahrhaftigsten ist. Vielleicht weil mir nach wie vor das »Front«, dieser düstere, etwas abgerissene Schwulen-Club, in dem jeder Ausländer sein durfte, das naheliegende Zuhause ist, naheliegender als jeder andere Ort. Vielleicht weil es alle so irritiert, wenn ich das sage, und jeder mir bedeutet, dass ich doch »lesbisch« sagen sollte.

Vielleicht weil ich bis heute nicht recht weiß, was so ein Begriff schon klären soll. Nicht als politische Metapher. Da verstehe ich es sofort. Ich weiß, warum es solche Begriffe braucht als sprachliche Vehikel politischer Auseinandersetzungen, warum es die Sichtbarkeit erhöht. Natürlich gehe ich auf den Christopher Street Day als lesbische Frau, und mir sind alle Demonstrationen wichtig, auf denen es um politische oder soziale Rechte von Schwulen und Lesben geht. Solange Homosexuelle in Iran und Saudi-Arabien als Verbrecher ausgepeitscht oder hingerichtet werden, solange in Polen oder Ungarn Homosexuelle auf der Straße angegriffen werden, solange die katholische Kirche in hehren Reden von der Würde des Menschen und den Menschenrechten spricht, aber wenn es um die Ehe für Homosexuelle geht, von der »Legalisierung des Bösen«, so lange gehöre ich erst recht dazu, so lange verteidige ich diese Begriffe.

Aber darüber hinaus? Was heißt es für mich, dieses Begehren? Was macht es aus?

Wenn ich darüber nachdenke, wie ich begehre, dann zerfällt alles Konzeptuelle, alles Kollektive in Augenblicke, in einzelne, kleine, unwiederbringliche Momente des Begehrens, wie bei jedem anderen Menschen auch, wenn ich erklären sollte, was dieses Begehren ausmacht, dann müsste ich all diese Momente beschreiben, wie ich geworben, verführt und wie ich mich verliebt habe, wie ich das erste Mal neben ihr nach Hause gehen durfte, nachts, im Winter, wie es knirschte und ich trotz aller Kälte die Hände nicht in die Hosentaschen stecken wollte, damit sie mich aus Versehen berühren könnte, und wie es nicht aufhören wollte zu schneien und ich nicht aufhören wollte, neben ihr herzugehen, wie ich das erste Mal ihr die Tür öffnete, in Berlin, und sie angeblich nur kochen wollte, in meiner Küche, in der mitgebrachten Tüte frischer Rosmarin und Pfifferlinge, und wie sie dann blieb, wie sie das erste Mal neben mir stand, seitlich, und ich unsinnige Thesen über den Universalismus verzapfte, endlos, nur, damit sie stehen bliebe und nicht wegginge, damit ich ihren Duft einatmen konnte, damit ich atmen konnte, wie wir es in einer Ausstellung nicht mehr aushalten konnten und uns hinter die Stellwände zurückzogen, um, bei fortwährendem Besucherstrom, miteinander zu schlafen, diese Nacht nach dem 11. September, in der sich alle Sorge umeinander, alles Begehren, das frühere, wieder entlud, es sind Bilder von nassen, verschwitzten, blutigen, verschmierten, zerwühlten Laken, der Geruch von Sex und Parfum, der Geschmack von salzigen Orangen und Tequila, es sind wie bei anderen Menschen auch lauter individuelle, kleine Augenblicke, wie wir in einem Bett lagen, das auf der Höhe des Fensterbretts stand, und ich, völlig erschöpft, über den nassen Rücken hinweg in die weiße Landschaft schauen konnte, bevor ich einschlief, Momente, die sich aneinanderreihen, das Klopfen der Heizungsrohre neben dem Bett in New York, Gegenstände auch, an die sich Geschichten knüpfen, dieser hässliche Hosenbügelautomat, der immer im Weg stand, die schöne Holzkiste, die über die Ozeane gereist war, mit den Tischdecken darin, Musik, an die sich Erinnerungen koppeln, Haydn-Triosonaten oder die Dixie Chicks, Augenblicke, leidenschaftlich, dramatisch, voller Begehren oder Liebestaumel, voller Kummer auch und Verzweiflung, Wortgefechte, Tränen beim Abschied auf der Straße, am Flughafen, Zorn und Versagen, Lüge und Enttäuschung, wie bei anderen auch, gelebtes, brüchiges, wandelbares Lieben.

Dazu gehört auch, und das ist *nicht* wie bei anderen Menschen: angeschaut zu werden auf der Straße, weil wir uns küssen, weil wir Hand in Hand gehen, angeschaut zu werden im Restaurant, morgens früh im Hotel, weil uns die Nacht anzusehen ist, der Sex, die Verliebtheit, manchmal staunend, manchmal ablehnend, manchmal neidisch über das Glück, das so nötig, so eindeutig ist, dass es diesen Blick der anderen nicht scheut, manchmal gehören auch die Kommentare dazu, schüchtern meist: »Sie sehen aber schön zusammen aus« oder »So ein glückliches Paar hab ich noch nie gesehen«.

Dazu gehört auch, Figuren, die so leben wie wir, selten auf der Leinwand zu sehen, dazu gehört auch, selten selbst entscheiden zu dürfen, wann wir uns als »wir« begreifen wollen und wann als »ich«, wann unsere Andersartigkeit relevant sein muss und wann sie irrelevant sein darf, dazu gehört auch, selten Romane zu lesen, in denen unsere Lust aufscheint, nicht als zentrales, problematisches Thema, sondern als so normal und belanglos, wie wir es selbst empfinden.

Dazu gehört auch zu wissen, wer bei einem sein soll, wenn man aufwacht nach einer Operation, zu wissen, wer uns Angehöriger sein soll, wenn es keine Familie mehr gibt, zu wissen, wann ein Freund mit HIV Beistand braucht, dazu gehört auch, wenn ich in die Notaufnahme muss, zu wissen, wer mich dahin fährt, dann vertraue ich auf einen, der das auch von mir erwartet, der weiß, dass wir wie ein verzweigter Stamm, eine andere Art der Familie sind, nicht vor dem Gesetz, aber voreinander, vor uns.

»Und folgt die Strafe nicht auf dem Fuß /
musst du die Schuld ableben durchs Leben«.

Dazu gehört auch zu wissen, dass nicht ich schuld bin am Tod von Daniel, dass dieser Schmerz, der mich über all die Jahre begleitet hat, nicht Schuld markiert, sondern Trauer, und auch die Scham, damals keine Sprache gefunden zu haben für das, was andere hätten aussprechen müssen, dazu

246

gehört auch zu wissen, dass Begehren nie etwas mit Schuld oder Unschuld zu tun hat, dass es nur die Geschichten sind, die darüber erzählt werden, die uns das einzureden versuchen, dass das Leiden individuell sei und nicht sozial und dass sich gegen diese Geschichten, diese verkürzten, verzerrten, verlogenen Geschichten nur anleben lässt, weil sich so die eingebildete Schuld ableben lässt, durch ein Leben voller Begehren und voller Lust, ein Leben, so glücklich, wie es mir nie jemand zutraute, und nur so lässt sich die Trauer über die Sprachlosigkeit von damals heben: durch das Schreiben dieser Geschichte, seiner, meiner und derer, die noch heute leiden am Schweigen über das Begehren.

*

Anmerkungen

1 Willibald Gluck, *Orpheus ed Eurydice*, Libretto, zitiert nach http://www.opera-guide.ch/opera.php?vilang=de&id=131# libretto

2 Nidda V, VII, *Babylonischer Talmud* in der Übertragung von Lazarus Goldschmidt, Bd. 12, Frankfurt a. M. 1996, S. 500.

3 Darüber habe ich an anderer Stelle schon mal geschrieben. www.carolin-emcke.de/de/article/54.blog-aus-gaza.html

4 Martin Dannecker/Reimut Reiche, *Der gewöhnliche Homosexuelle. Eine soziologische Untersuchung über männliche Homosexuelle in der BRD*, Frankfurt a. M. 1974.

5 Siehe auch den erschütternden Bericht über sexuellen Missbrauch in der Odenwaldschule: Jürgen Dehmers, *Wie laut soll ich denn noch schreien? Die Odenwaldschule und der sexuelle Missbrauch*, Reinbek 2011.

6 Franz Schubert, »*Der Erlkönig*«, nach einem Gedicht von Johann Wolfgang von Goethe, in: *Werke*, Band 8, Sanssouci Ausgabe, Potsdam, ohne Jahr, S. 127.

7 Vgl. den wunderbaren Band von Erwin In Het Panhuis, *Aufklärung und Aufregung – 50 Jahre Schwule und Lesben in der BRAVO*, hrsg. vom Archiv der Jugendkulturen Verlag KG, Berlin 2010, auf dessen Recherchen und Analysen ich mich im Folgenden auch immer wieder beziehe.

8 Ebenda, a. a. O., S. 62.

9 Ebenda, S. 52.

10 Ebenda, S. 50.

11 Ebenda, S. 38.

12 Erst mit Facebook ist ein virtueller Raum entstanden, in dem sich Jugendliche frei artikulieren, in dem sie, in aller Öffentlichkeit, eine eigentlich private Sprache sprechen, eine, die »ich« sagt, die eine Subjektivität erst entwickelt, die ansonsten verwehrt ist. Doch das gab es noch nicht bei unserer ersten Begegnung mit Ibrahim.

13 Die theologischen Grundlagen dieser Ablehnung der Homo-

sexualität in muslimischen Ländern sind durchaus umstritten. Scott Siraj al-Haqq Kugle argumentiert in seiner beeindruckenden Studie, dass keine Verse im Qu'ran eindeutig Homosexuelle verdammen und einige sogar nahelegen, dass sie toleriert werden könnten. Siehe: ders., *Homosexuality in Islam. Critical Reflections on Gay, Lesbian, and Transgender Muslims*, Oxford 2010.

14 Zitiert nach: Ralf Dose, »Der § 175 in der Bundesrepublik Deutschland«, in: Katalog zur Ausstellung »Die Geschichte des § 175 – Strafrecht gegen Homosexuelle«, Berlin 1990, S. 122–145. Siehe auch: Rainer Hoffschildt, »140 000 Verurteilungen nach ›§175‹«, in: Fachverband Homosexualität und Geschichte e. V. (Hrsg.), *Denunziert, verfolgt, ermordet: Homosexuelle Männer und Frauen in der NS-Zeit*, Invertio, Jahrbuch für die Geschichte der Homosexualitäten, 4. Jahrgang, Hamburg 2002.

15 Vgl. vor allem die Formulierungen von Juristen wie Dr. Rudolf Klare, zitiert in: Hans Georg Stümke / Rudi Finkler, *Rosa Winkel, Rosa Listen – Homosexuelle und »gesundes Volksempfinden« von Auschwitz bis heute*, Hamburg 1981, S. 222 f. sowie 344.

16 Zur Paranoia der Ansteckung in der amerikanischen Armee siehe auch: Judith Butler, *Haß spricht. Zur Politik des Performativen*, Berlin 1998, S. 149–181.

17 Zitiert nach: Hans-Georg Stümke, *Homosexuelle in Deutschland. Eine politische Geschichte*, München 1989, S. 183 f.

18 Zitiert nach Ron Steinke, »Ein Mann, der mit einem anderen Mann … Kurze Geschichte des § 175 in der Bundesrepublik«, in: *Forum Recht*, Heft 2 / 2005, S. 60–63.

19 Zu den verschiedenen »Schutzalter«-Diskussionen siehe: Ralf Dose (Anm. 14), S. 134 f.

20 Interessanterweise wurden in der DDR, ab dem Jahr 1968, als ein eigenes Strafgesetzbuch eingeführt wurde, gemäß § 151 auch Frauen verurteilt, die homosexuelle Handlungen mit Jugendlichen begingen.

21 Zitiert nach: Ralf Dose (Anm. 14), S. 123.

22 Zitiert nach: Ralf Dose (Anm. 14), S. 126.

23 In einem Interview 1964 mit Günter Gaus, *Zur Person, Portraits in Frage und Antwort*, München 1965, S. 20.

24 Als Vorlage diente der Urtext, J. S. Bach, *Das Wohltemperierte Klavier*, Teil 1, Hrsg. Ernst Günter Heinemann, Fingersatz von Andras Schiff, Henle Verlag. Siehe auch die kluge Analyse von Siglind Bruhn, *J. S. Bachs Wohltemperiertes Klavier, Analyse und Gestaltung*, o. O. 2006.

25 Glenn Gould, *Von Bach bis Boulez, Schriften zur Musik Band* 1, München 1986, S. 37.

26 Georg Büchner, »Leonce und Lena«, in: *Werke und Briefe*, Erster Band, Frankfurt a. M. 1958 / 1979, S. 121.

27 Joseph Brodsky, »Weniger als man«, in: ders., *Erinnerungen an St. Petersburg*, München 1986 / 1993, S. 12.

28 Ebenda, S. 13.

29 *The Shere Hite Reader, New and Selected Writings on Sex, Globalisation, and Private Life*, New York / Toronto 2006.

30 Vgl. Hubert Fichte, *Interviews aus dem Palais D'Amour* etc., Hamburg 1972, S. 5 f.

31 Siehe: Lydia Cacho, *Sklaverei – Im Inneren des Milliardengeschäfts Menschenhandel*, Frankfurt a. M. 2011.

32 Vgl. »Homosexuelle bespitzelt«, Eine Dokumentation des »Hamburger Lesben und Schwulen Verbundes« in Zusammenarbeit mit »Du & Ich«, o. O., 1980.

33 Vgl. »Der Weg eines Gerüchts«, von Rolf Zundel, erschienen in: *DIE ZEIT* 09 / 1984, http: / / www.zeit.de/1984 / 09 / der-weg-eines-geruechts.

34 »Kohl: ›Das läuft nicht gut‹«, Titelgeschichte des *Spiegel*, Ausgabe Nr. 3, 1984, in: *Berichterstattung des SPIEGEL zum Thema Homosexualität, 1947 – August 1990*, hrsg. von: Verein zur Förderung der Erforschung der Geschichte der Homosexuellen in Nordrhein-Westfalen e. V., Köln o. J., S. 294.

35 Vgl. »Ein Abgrund von Sumpf hat sich aufgetan«, *Der Spiegel*, ebenda, S. 305.

36 Zitiert nach »Soldaten als potentielle Sexualpartner«, *Der Spiegel*, Nr. 3, 1984, in: ebenda, S. 295.

37 MAD-Bericht des Brigadegeneral Behrendt, zitiert nach: »Ein

Abgrund von Sumpf hat sich aufgetan«, *Der Spiegel,* ebenda, S. 306.

38 Ebenda.

39 »Es geht nicht nur um meine Rehabilitierung«, SPIEGEL-Interview mit dem entlassenen Vier-Sterne-General, *Der Spiegel,* Nr. 3, 1984, ebenda, S. 293.

40 Über die Frage des Umgangs mit »falschen« Zuschreibungen oder pejorativ belasteten Zuschreibungen habe ich länger geschrieben in: Carolin Emcke, *Kollektive Identitäten – sozialphilosophische Grundlagen,* Frankfurt a. M. 2000 / 2010, S. 121.

41 Wie furchtbar wirkungsmächtig diese Art von Zuschreibungen heute auch mit Hilfe des Internets sein können, zeigt der Fall des Jungen Joel, der sich das Leben nahm, nachdem er sich im Netz sexuellen Diffamierungen ausgeliefert sah. Siehe dazu: Rebecca Casati, »Geh sterben, Du Schlampe«, in: *Süddeutsche Zeitung,* 9. / 10. April 2011, Nr. 83, Wochenendbeilage. Die Komplexität dieser Fälle besteht darin, dass sie einerseits die real erlebte Erniedrigung von Jugendlichen oder Erwachsenen beschreiben, die als »schwul« bezeichnet werden und darin eine soziale Diffamierung erleben. Andererseits gelänge diese Diffamierung nicht, wenn die Zuschreibung »Homosexualität«, wahr oder falsch, gar nicht als problematisch markiert wäre.

42 Ludwig Börne, »74. Brief aus Paris vom 7. Februar 1832«, in: ders., *Briefe aus Paris,* Auswahl von Manfred Schneider, Stuttgart 1977, S. 146.

43 Zur Kritik der eindimensionalen Identitätspolitik siehe auch Amartya Sen, *Identity and Violence: The Illusion of Destiny,* London 2007.

44 Bewunderungswürdige Ausnahme scheint Maren Kroymann zu sein, die als Schauspielerin nahezu alles spielen kann und darf, ganz unabhängig von ihren privaten Vorlieben, und der das Regisseure auch zutrauen.

45 Im Internet lassen sich dankenswerterweise ganze Tracklists oder Aufnahmen von damals finden: http: / / redbullmusicacademyradio.com / shows / 640 /.

46 Siehe die kluge Analyse der Repräsentation von Aids von Brigitte Weingart, *Ansteckende Wörter, Repräsentation von Aids*, Frankfurt a. M. 2002, S. 7 f.

47 »Eine Epidemie, die erst beginnt«, *Der Spiegel*, Nr. 18 / 1983, S. 147.

48 »Ich bin en Tunt, bin kernjesund«, in: *Der Spiegel*, Nr. 29 / 1984, S. 134.

49 Ebenda, S. 133.

50 Siehe die Information des Lesben- und Schwulenverbands Deutschland zum Adoptionsrecht von Lesben und Schwulen: http: / / www.lsvd.de / 1210.0.html oder auch die Materialsammlung der Bundeszentrale für politische Bildung zur »Rechtlichen Stellung von gleichgeschlechtlichen Eltern«, http: / / www.bpb.de / themen / BXH32F.html.

51 Die Thesen von Kauder habe ich schon einmal in einem kurzen Blog-Eintrag diskutiert, siehe: http: / / www.carolin-emcke. de / de / topic / 22.blog.html?start=5.

52 In der »Musterrichtlinie für die Durchführung der assistierten Reproduktion«, die vom Vorstand der Bundesärztekammer auf Empfehlung der Wissenschaftlichen Beirats herausgegeben wurde, heißt es: »Methoden der assistierten Reproduktion sollen unter Beachtung des Kindeswohls grundsätzlich nur bei Ehepaaren angewandt werden.« www.bundesaerztekammer. de / downloads / Kuenstbefrucht_pdf.pdf.

53 In einer Erklärung zu den Richtlinien der Bundesärztekammer argumentiert Manfred Bruns, der Sprecher des Lesben- und Schwulenverbandes in Deutschland, die Kommentare der Richtlinie seien »nicht bindende Auslegungshinweise«. Bruns betont, dass sie verfassungsgemäß auszulegen seien, und demnach assistierte Reproduktion auch bei lesbischen Paaren nicht verboten sein könne. »Wie sich aus der Ermächtigungsnorm in den Berufsordnungen bei Landesärztekammern ergibt (jeweils § 13, Abs. 1), sollen die ›Richtlinien zur assistierten Reproduktion‹ unethisches Verhalten der Ärzte bei künstlichen Befruchtungen verhindern. Die künstliche Befruchtung von Lebenspartnerinnen ist nicht unethischer als die von Ehepart-

nern und festgefügten eheähnlichen Paaren. Auch bei diesen erlauben die Richtlinien die Verwendung von Fremdsamen.« http://lsvd.de/1677.0.html#c7766

54 Das berühmte Vexierbild wurde erstmals von dem Psychologen Joseph Jastrow verwendet. Joseph Jastrow, *Fact and Fable in Psychology*, Boston 1900, die Vorlage für das Bild hier ist kopiert aus: http://mathworld.wolfram.com/Rabbit-DuckIllusion.html.

55 Ludwig von Wittgenstein, »Philosophische Untersuchungen«, in: *Werkausgabe* Band 1, Frankfurt a. M. 1993, S. 519 ff.

56 P. Brugger und S. Brugger »The Easter Bunny in October: Is It Disguised as a Duck?« in: *Perceptual Motor Skills* 76, S. 577 bis 578, 1993.

57 Der amerikanische Autor Daniel Mendelsohn beschreibt eine ähnliche Sehnsucht oder Intuition, die ihm durch die Struktur des klassischen Altgriechisch vermittelt wurde: das Sowohl-als-auch, das »men« und »de«, das einerseits und andererseits, die Gegensätze, die sich nicht ausschließen, die in einem existieren können. »If you spend a long enough time reading Greek literature, that rhythm begins to structure your thinking about other things, too. The world *men* you were born into; the world *de* you choose to inhabit.« Daniel Mendelsohn, *The Elusive Embrace – Desire and the Riddle of Identity*, New York 1999, S. 26.

Carolin Emcke
Von den Kriegen
Briefe an Freunde
Band 16248

Carolin Emcke schreibt Briefe von den Rändern, aus den vergessenen Gegenden der Welt – die Rückseite der offiziellen Reportagen und bewegender Einblick in den Alltag von Krieg und Gewalt, persönlicher Bericht, Essay und schonungsloses Zeugnis der Realität.

»Wer Zeuge seiner Zeit und seiner Rolle darin sein will, wird auf dieses Buch nicht verzichten können.« *Frank Schirrmacher, Frankfurter Allgemeine Zeitung*

Fischer Taschenbuch Verlag

fi 16248 / 1